跟蛋頭辯論：
無知、無理與無恥的社會現象

張讚國　著

巨流圖書公司印行

國家圖書館出版品預行編目（CIP）資料

跟蛋頭辯論：無知、無理與無恥的社會現象 /
　張讚國著. -- 初版. -- 高雄市：巨流圖書股
　份有限公司，2022.05
　　面；　公分
　ISBN 978-957-732-662-1（平裝）

1.CST: 言論集 2.CST: 時事評論

078　　　　　　　　　　　　　　111006499

跟蛋頭辯論：
無知、無理與無恥的社會現象

著　　　者　張讚國
責 任 編 輯　李麗娟
封 面 設 計　余旻禎

發 行 人　楊曉華
總 編 輯　蔡國彬

出　　版　巨流圖書股份有限公司
　　　　　802019高雄市苓雅區五福一路57號2樓之2
　　　　　電話：07-2265267
　　　　　傳真：07-2233073
　　　　　e-mail: chuliu@liwen.com.tw
　　　　　網址：http://www.liwen.com.tw

編 輯 部　100003臺北市中正區重慶南路一段57號10樓之12
　　　　　電話：02-29229075
　　　　　傳真：02-29220464
郵 撥 帳 號　01002323 巨流圖書股份有限公司
　　　　　購書專線：07-2265267轉236

法 律 顧 問　林廷隆律師
　　　　　電話：02-29658212
出版登記證　局版台業字第1045號

ISBN 978-957-732-662-1（平裝）
初版一刷・2022 年 5 月

定價：300 元

~~致天下所有的蛋頭~~

予豈好辯哉

跟蛋頭辯論：無知、無理與無恥的社會現象

目次

反思與謝詞

本書延續我在香港（2009-2016）寫時事批判文章的立場、取徑與視野：從事實出發，由情境著手，以理論解釋。事實是已發生的事，覆水難收。情境是時空背景，鋪排文本的脈絡。理論探索事實為什麼會發生，一種前因後果的說明。事實本身固然重要，更重要的是潛在的歷史意義與可能的社會效應。

這是我在大學教書與研究之外，用中文寫作的第二本時事評論集。有些人也許會覺得我不務正業，在自己的學術場域（新聞／大眾傳播）之外班門弄斧，不自量力。我的看法不同，即使是象牙塔，也無法自外於一個更大的環境，學者難以遺世獨立，躲在書堆或統計數字之後，自怨自艾。

所有的文章都非無病呻吟，或為說愁強說愁，主要在記錄一些公民社會裏值得關注的事實，並在眾聲喧嘩中提供批判性的另類解讀。知識分子評斷他人是非，尤其是今人，而非古人，需要一個場地、一處開放的空間和一種不受外力干擾的自由與理性，以及一點雖千萬人吾往矣的堅持和擔當，特別是在「萬山不許一溪奔」的情境下。

以中文寫作，是我出國 30 多年後的期待和嶄新經驗。在 1987 年解除戒嚴與 1996 年總統直選後，台灣自然不再是封閉的國度，其它使用中文的社會，從中國，到香港，再到新加坡，在思想開放和言論自由方面，都無法跟前者相比，若非聊備一格，頂多是曇花一現。

也許是當過幾年記者的經驗與機運，我在香港動筆寫評論，期間剛好一年（2013 年 7 月-2014 年 7 月），文章都發表在《蘋果日報》論壇

版。編輯每星期固定讓我寫一篇，題目不拘，長短不一，也沒有任何內容限制。在目前香港的高壓氣氛下，編輯對作者如此認可與信任，應已成絕響。類似這些的批判文章是不可能再刊登了，更可能惹上混淆視聽，甚至顛覆中國國家安全的麻煩。

中國於 2020 年 6 月 30 日公佈《中華人民共和國香港特別行政區維護國家安全法》，特區政府隨即跟著起舞，拘留《壹傳媒》創辦人黎智英等人。北京擒賊擒王，高調打擊言論與新聞自由，香港公民社會也從此一蹶不振。落井下石，一年後，官方在 2021 年 6 月 17 日又大舉搜查《蘋果日報》，再逮捕 5 名高層行政與編輯主管。沒多久，報社資金被凍結，《蘋果日報》彈盡援絕，於 6 月 24 日被迫關門。

半年後，《立場新聞》的 7 名高層主管在 2021 年 12 月 29 日，以「涉嫌串謀發布煽動刊物」被警方「依法」逮捕，撼動報社。群龍無首，網站隨後宣布停止運作，並遣散所有員工。緊接著，《眾新聞》於 2022 年 1 月 3 日，以「風高浪急情況嚴峻」，主動停刊，變相向強權屈膝，也就是香港人所說的「跪低」。

兵敗如山倒，局勢至此，香港的新聞與言論自由雙雙蕩然無存。所謂的「一國兩制」安排其實早已終結，當異議分子被視為非我族類，必除之而後快，當新聞媒體不再提供意見的自由市場時，特區正式跟中國「內地」的城市亦步亦趨，名存實亡。當年多樣的香港，恐怕只能在故紙堆裏尋它千百度。

從九七回歸後，到 2014 年的「佔領中環」運動期間，《蘋果日報》算是香港最後的自由派報紙（其它報紙，包括《明報》，都先後被招降），我有機會以筆名端木少華短暫寫評論文章。從 2013 年「佔中」發起，到 2015 年被迫結束，香港政治情勢的演變相當令人憂慮與絕望，特別是言論空間的緊縮，誰都會感到坐困愁城，頗有孤臣無力可回天的無奈。

我決定不再寫長篇大論時，編輯給了我一個 400 字的【三言兩語】專欄，與李怡（1936-）先生輪流寫短評，一星期兩次。能跟李怡在《蘋

果日報》言論版上平分一點秋色，是任何知識分子的榮幸和難得經驗。

千江有水千江月，即使簡短，《蘋果日報》對多元言論的堅持和尊重有如暮鼓晨鐘，感謝編輯的厚愛與膽識，我才能廁身論壇版，在白紙黑字間，指點香江人物。隨著《蘋果日報》腰折後，這些文章全一筆勾銷，永遠消失在網路上，似乎不曾發生過。船過水無痕，留下的任何疑問也不會有答案。

問題的答案，一如美國民歌作曲家 Bob Dylan 於 1962 年創作的經典歌曲 *Blowing in the Wind* 中所說的，都隨風飄曳。隱含在歌詞背後的可悲，莫過於風吹兩面倒。從香港到台灣，學術界與新聞界多的是騎牆派，尤其是投機的蛋頭，有頭有臉，還身居要位。

我在 2016 年離開香港前，重新改寫了 47 篇文章，並獲得香港城市大學出版社同意，以《民主、民意與民粹：中港台觀察與批判》為名出版。這是介於學術與評論之間的通識書，在香港目前的集權局勢下，勢必難以發行，自然也無法上架。不過幾年時間，香港已變得風聲鶴唳，思想與寫作的公開表達，尤其是挑戰當權的聲音，多少是禁忌的遊戲。

回到台灣後，我不再以筆名寫評論文章，在自由民主與開放空間的大環境中悠哉游哉，《民主、民意與民粹》也發行無礙。這是余英時（1930-2021）在《史學與傳統》裏所說的，不論學術或思想自由，「都涵有社會行動的意義在內，尤其牽涉到發表意見的自由」。[1] 亦即，思想與行動如影隨形，難以切割。

在台灣，作為自由人，心靈不必疑懼和言論不受打壓的感受尤其深刻，讓我更緬懷香港一段難得的生活經驗。只有在實際經歷和對比的情境下，我們才能體會民主、自由與人權的不可剝奪。自由人並無其他人騎在頭上，思考、寫作和話語也不需瞻前顧後，提心吊膽。

雖然內容與香港無關，《跟蛋頭辯論》的較早幾篇文章發表在台灣《蘋果日報》上，算是承繼在香港時的批判精神，並支持《蘋果日報》

---

[1] 余英時（1982）。《史學與傳統》。台北：時報文化，頁 146。

追求新聞與言論自由的執著，特別是對當年那些在中國政府霸權與特區政府霸道局面下，仍然振筆直書的編輯、記者與學者們，表達一點敬意。

沒有他／她們守住九七後的新聞、言論和學術自由的底線，香港恐怕早已面目全非了。在《蘋果日報》與其它網路新聞媒體被直接或間接封殺後，一葉知秋，更何況落葉紛紛，他／她們再也沒有發言的場地，恐怕更會噤若寒蟬。餘波如海嘯，跨海襲擊之下，台灣《蘋果日報》應聲而倒，被迫停止發行紙版，也後繼無力，無法聲氣相投。

香港早已寄人籬下，一舉一動，都得看北京臉色。例如，2022 年 1 月 6 日，台灣中央研究院學者吳叡人（1962-）被香港親共報紙《大公報》指控違反國安法。儘管是飛象過河，卻是項莊舞劍，有如司馬昭之心。一網打盡，不過是統派媒體慣用的技倆。香港既已淪落，台灣便如芒刺在背。

隔著海峽，台灣的知識分子能為香港人民所做的事其實有限，可能也隔靴搔癢，甚至礙手礙腳。書生之見，話語多於行動，紙上談兵，蚍蜉難撼大樹，更何況國家機器騎在人民頭上，不動如山。在香港如此，中國當然有過之而無不及，台灣恐怕也難免受波及。

在台灣各種場域，我們往往看到無知、無理與無恥的人挑戰和顛覆理性對話、實證研究、社會知識及倫理道德。他／她們都有頭有臉，不難在新聞空間與意見市場裏佔有一席之地，即使是一小塊地盤，也足以興風作浪。從政客到學者，再到演藝人員，這些荒謬現象俯拾皆是，攤開來檢驗，觸目驚心。局內人或許視而不見，在局外人眼裏，慘不忍睹。

本書收錄了從 2016 年到 2021 年，我在《蘋果日報》與《風傳媒》發表的 53 篇評論文章，絕大部分刊登在《風傳媒》。在政治光譜上，從話語和統獨的支持與否來看，不管是否正當，物以類聚，這些媒體往往被簡化或歸類為偏藍或偏綠，甚至可能還有點偏紅。

當《風傳媒》與《中國時報》在一些藍綠或意識形態問題上被相提並論時，稍為細心的人都不難看出前者的微妙轉變（從監督政府到為反

對而反對），也可推測出兩者的政治立場大概頂多是五十步與百步之別（後者是公認的統派或紅色媒體）。由急統到急獨，蛋頭學者與專家都不難在媒體上尋得心靈歸宿。

純粹就作者的背景衡量，無論是直接投稿或間接被轉載，統派／中國派出現在《風傳媒》版面上的比率，多少壓倒獨派／台灣派。以台灣主體性和台灣人民自主為焦點的作者似乎只是一種點綴，用來平衡大中國意識形態；不偏不倚，已是奢求。《風傳媒》的微妙變化，在在顯示海峽兩岸「西瓜偎大邊」的政治現實，也是新聞媒體的悲哀。

不管如何，一種米養百種人，媒體帶有特定政治立場不足為奇。媒體到底由少數個人經營與管理，他／她們的世界觀與個人喜好往往決定內容走向和價值取捨，一種「編輯室的社會控制」。連帶的，作者多少也會有意或無意的被貼上某種色彩標籤，更惡劣的是「藍蛆」或「綠蛆」的分類。台灣的政治醬缸非藍即綠，如此二分法的泛政治化傾向，即使並非常態，卻無助於公民社會的理性討論，徒增紛擾。

網際網路於 20 世紀末葉興起後，在台灣，一個意見自由市場的非預期後果是，除了紙版的報紙副刊與言論版面外，發表於網路上的文章基本上都沒有稿酬，尤其是投稿。香港《蘋果日報》的稿費之高，出乎意料，至少這是對作者思考與寫作的一種尊重。網路媒體擺明的是不付稿費，無疑指出文字創作不再獨特，也不再有相當價值。

其實，在網路上的任何角落，尤其是臉書與其它社交平台，包括個人的部落格，誰都可以盡情書寫，大放厥詞。這種現象或許是言論多元的指標，但也可能產生魚目混珠，或濫竽充數的社會弊病。反正人人是記者，個個是專欄作家，可以暢所欲言，或胡說八道。面對百家爭鳴，知識分子責無旁貸，振筆之書，透過有限的話語，或許可以振聾啟聵。

網路媒體的所謂觀點／專欄，不過是數位時代「使用者原創內容」（user generated content）的設計與運用，一個願打一個願挨，但卻提供了一個讓作者直言的平台，在知識產權上也沒有模糊的地帶。既然是無

償的文字，作者便擁有後續的使用權與正式出版。這是《跟蛋頭辯論》集結成書的一點歷史情境，基本上並未牽涉網路平台的編輯機制。

本書中的所有文章多少都做了修正，大部分是技術性的錯別字和格式更動，或加上相關注解，少部分則在說理上做了補充，不過原文內容與見解的改變不多。謝謝這些媒體提供了一個發言場地，文章改寫前後，無關它們的編輯立場，也不涉及版權歸屬。至於內容好壞，讀者是最後的仲裁。

每一篇文章登出後，都獲得不同程度的回響，許多人按讚或分享，有些人則留言評論。我會仔細閱讀全部留言，但一概不回覆。不管長短，留言中不乏認真思考的見解，更多的是缺乏理性，為反對而無理謾罵，甚至用語粗俗或下流。有些人（他／她知道自己是何許人）為逞一時口舌之快，躲在虛假帳號背後使用惡毒的字眼。我不會降格以求，以其人之道，還諸其人之身。他／她們是自由人，自由人做自由事，當然包括作踐／賤自己。

不論是支持或反對，也不計是真正讀者或政客和利益團體帶動的網軍，他／她們透過鍵盤，就算三言兩語，多少讓我保持謙卑與儆醒。既然我以文字訴說別人是非，他人的批判都不為過。跟那些看不懂原文，講不出道理，又不肯面對事實或真理的讀者爭辯，只是浪費時間和生命。蛋頭有時也會有點用處，就像一個壞掉的時鐘，一天會對兩次。

寫評論文章當然需要有人看，最好不是事後諸葛，以免出現盲點而不自知。我的妻子，從霖，永遠是第一個讀者與評審。她是我的個人編輯和守門人，每一篇文章在投稿前，她都至少讀過一遍，除了挑出錯別字，更在用語、說理或邏輯方面提出質疑與看法，有時比校對和編輯還認真，我的思考與寫作才不至於貽笑大方。

我們都當過幾年記者，去國多年，日夜望鄉，再回到台灣，對吾土吾民的關懷依舊。一枝草一點露，我們從來不懷疑絕大多數台灣人都熱愛這塊土地，也在乎台灣何去何從，頂多程度有別。畢竟，台灣是我們

生於斯或長於斯的原鄉，先來後到，甚至奔波於不同國度之間，並不妨礙臍帶相連，某種民胞物與的執著。

　　對許多人事物的看法，包括我們自己的生活環境與經驗，我們自然不可能相同，解讀也各異，歧見難免，但總有各退一步或折中之處。在某種意義上，本書是我與妻子的共同創作，記載我們的所見、所聞與所思，為台灣這段期間多少留下一點社會檔案，也許還有些啟示。不過，任何錯誤都是我的疏漏，算不到她頭上。

張讚國

2022 年 2 月 7 日

美國明州雙城

前言：跟蛋頭辯論

美國經濟學家保羅・克魯曼（Paul Krugmanm, 1953- ）從 2000
年起，開始為《紐約時報》寫專欄，探討與經濟有關的公共
事務，於 2008 年獲得諾貝爾經濟學獎。他視野廣泛，從社會安全、健康
保險、通貨膨脹、減稅與金融政策，到貿易戰爭、氣候變化、社會主
義、美國總統川普和新聞媒體等，幾乎無所不談。

克魯曼用字遣詞深入淺出，理論與實務兼具，見解深刻，批判犀
利。過去 20 多年，他在專欄與部落格裏指名道姓，評斷不少政客和學者
的經濟政策主張及看法並不誠實，特別是對其他經濟學家，不留情面。
他對古人的批判，頗符合胡適（1891-1962）的主張，「不評判他們的是
非，則多誤今人。」[1]

例如，2010 年他認為 1976 年諾貝爾經濟學獎得主 Milton Friedman
（1912-2006）早年有關美國聯邦準備理事會（中央銀行）在經濟蕭條中
所可能產生的角色與作用，提出的論點離譜，經不起驗證。Friedman 早
已去世，無從辯解，事實的演變可能也難以辯護。其它的冷嘲熱諷，俯
拾皆是。

克魯曼的專欄雖然以《紐約時報》的讀者為對象，出書卻是針對一
般人。2020 年 1 月，他集結了 91 篇文章（絕大部分為短文，每篇 2 頁
多，不超過 3 頁），包括一些較長的雜誌文章，以《跟殭屍辯論：經濟、

---

[1] 見余英時（1984）。《中國近代思想史上的胡適》。台北：聯經。頁 7。

政治和為更好未來奮鬥》[2] 為名出版，一時洛陽紙貴，成為《紐約時報》的暢銷書。

2021 年，書籍再版，克魯曼增加了 8 頁的前言，探討新冠肺炎疫情下的殭屍（zombies）舉止，但保留了原始的專欄文章，為內容提供了一個可以理解的邏輯。他指出，在川普（Donald Trump, 1946-）總統看管下，美國對疫情的反應是史詩般的災難（epic disaster），這種後果都是殭屍惹的禍。

殭屍是西方科幻電視、電影或小說裏常見的角色，大部分是想像的恐怖產物，一種社會建構的虛擬傳說，亦人亦鬼，無關現實。在日常生活中，殭屍是某種對比的擬人形象，信者恆信，嚇得要命，不信者不信，笑得半死，並非理性探討的範疇。

不管是恐怖片或科幻片，一個共同描述是，殭屍是活的死人（the walking dead），死而不僵，長相猙獰，有時動作緩慢，有時活蹦亂跳。它以活人為攻擊對象，誰不幸被咬上一口，立即受到病毒感染，並會變成殭屍，繼續為害人間。中國民間也有死屍復活的殭屍故事，特別是明清兩代期間。想像力不分國界，也可能在彼此間擴散。

世界上當然沒有殭屍，在克魯曼眼中，殭屍是那些面對證據也不肯放棄既有錯誤想法的人。他／她們一再死守僵硬的觀點，即使別人提出的鐵證如山，打死也不理。這些人為害社會，以魚目混珠的話語顛覆事實或真理，擾亂一般人的視聽，進一步吞噬常人的腦袋，導致思想混亂，從而對常識與知識造成戕害。行徑之可怕，不輸於殭屍吃人。

台灣自然沒有殭屍，但是蛋頭滿街跑。在某種程度上，蛋頭跟殭屍其實沒有太大差別，具有一種「僵思」傾向，以僵化思維看待社會事實，又強作解人，對現實與知識宣稱為害之大，不容小看。他／們是生活中常見的人物，蛋頭之為用在於，我們得以分辨事實與意見、真知與偽學以及理性與情緒。

---

[2] Paul Krugman (2020). *Arguing with zombies: Economics, politics, and the fight for a better future*. New York: W. W. Norton & Company. 全書 444 頁。

　　中文的蛋頭是美國俚語 egghead 的直接翻譯，最早的英文意義是對知識分子自命清高的一種譏諷，後來逐漸演變為泛指那些跟一般人日常生活脫節，不知今夕何夕，無視事實和證據，又欠缺知識與常識的人，尤其是政客、學者、專家和名嘴。他／她們經常出現在電視或報紙的新聞和評論平台上，販賣似是而非的論調，大言不慚。台灣不乏這些人。

　　蛋頭往往信口開河，不求甚解，更多時候像鸚鵡一樣，特別是名嘴，不過是複製網路上的既有資訊或已知的事實，既乏新知，也提不出引人深思的見解，大多時候是兩者缺缺。他／她們並非本身厲害（自己心裏有數），見人所未見，而是受益於新聞媒體的「地位授予」（status conferral）社會作用。他／她們佔有一塊公共領域的地盤，透過一張嘴，大放厥詞，有時比手畫腳，唱作俱佳，只是比殭屍看起來順眼一點而已。

　　從名詞看，蛋頭並非殭屍，《跟蛋頭辯論》明顯仿效了《跟殭屍辯論》的書名，但是目的沒有後者遠大，不在闊論經濟問題，更談不上為台灣更好的未來打拼，頂多是在一些淺顯的道理上就教於蛋頭。殭屍無可救藥，解決的唯一手段是砍掉腦袋。蛋頭多少是屬於孺子可教的一群，除非他／她們的腦袋真如蛋殼一般，一敲就破，裝不了任何東西。

　　《跟蛋頭辯論》主要在無知、無理與無恥三個層面上，檢視個人及群體所引起的社會現象、教訓和啟示。無知、無理與無恥都只發生在個人身上，群體、組織、機構或國家也都以個人為基本單位。因此，個人的無知、無理與無恥推到極致，透過示範效應（demonstration effects）或外溢效應（spillover effects），一旦波及到較大的單位（例如家庭、群組或政府機關），就不再是個人問題，反而具有相當的社會意義及作用。

　　在特定情境下，每個名詞都有特定意義，在日常生活中的現實作用也因而有所差異。無知，是欠缺常識或知識。無理，是無視事實或證據。無恥，是喪失倫理或道德。它們雖然分屬於不同層面，但並非互不相干，或各自獨立。無知的人通常難以講理，不能講理的人往往不知羞

恥，無恥的人大抵視知識為糞土，尤其仇視知識分子。

　　蛋頭大多具有其中之一的個性而不自知，等而下之的，集三者於大成。狂道從勢，或曲學阿世，最是無知、無理和無恥的悲哀，特別是蛋頭學者，他／她們也許盡到了言責，卻不配稱為知識分子。這些只有近距離觀察與體會，我們才能感受到蛋頭的荒謬與囂張。

　　從 1980 年在美國唸大學起，到 2016 年回到台灣，我在國外（美國、香港和新加坡）停留了快 40 年，除了在香港的幾年（1993-1994，2009-2016），很少以中文書寫評論時事和社會現象的文章。主要原因在於，人不在當地或實際場域，就脫離了一個較大的生活空間，缺少置身其中的直接或間接經驗，不易感受到社會脈動，對文本（text）與情境（context）之間關係的把握總是有些差距，難免搔不到癢處。

　　回到台灣後，我先後在國立政治大學（2016-2017）與國立交通大學（2017-2021）當教授，彌補了作為學者的一段缺憾。另外，我和妻子以公民記者身分，在台北及新竹街頭上，採訪報導過不少社會運動與小市民日常生活的切片。我以學者和記者的雙重角色在《蘋果日報》、《自由時報》與《風傳媒》上寫評論文章，多少具有局外人的視野與自在。

　　事實上，這些媒體本身就有點問題，根本癥結在於非黑即白的二分法。台灣的新聞媒體已經不再中立了，至少在一般人看來，它們的新聞立場鮮明，意見更是左右分明。這是後現代社會感性壓倒理性的變異，一種媒體在市場求取生存的本能，在自由民主的結構下，以民粹為導向。[3]

　　原因不難理解。由於政經壓力、社會變遷、新傳播科技興起與生態需求，每個媒體先是商業機構，再以社會公器招搖於市，它們難以自外於一個更大的生存環境，也各有自己的意識形態，政治上支持不同的政黨，作者難免被貼上政治標籤。讀者必須具有明辨文章內容的能力，而

---

[3] 有關媒體的民粹傾向，見張讚國（2016）。《民主、民意與民粹：中港台社會觀察與批判》。香港：香港城市大學出版社。

非人云亦云。

　　如果「人氣」統計是個指標，也有實質意義，這些文章的閱讀人數從最少的 2500 人到最多的 20 多萬人，不一而足，反映的是網路讀者對不同題目和內容的關注。其中最明顯的是，他／她們不太在乎新聞界作為的好壞，一個根本原因自然是新聞媒體的信用與作用早已不受人尊重。對很多記者來說，新聞工作只是謀生糊口的一個職業，而非監督政府或對抗強權的一種志業，有時還被認為是社會亂源之一。

　　讀者的回應還有另一層意義，他／她們也許會在意對公眾人物的針砭，特別是藍色、綠色或紅色政客與相關言行，由於認證偏差，卻往往排斥非我族類的替代觀點。也就是說，讀者帶有既定立場看待作者和各種評論文章，又以人廢言。

　　在相當程度上，這是讀者一種非理性的個人行為。推到極致，不是在小圈子裏打轉，就是相濡以沫，一旦從個人擴散到群體，難免形成集體思維，容不下另類看法。《跟蛋頭辯論》的用意，在充當眾聲喧嘩的催化劑，談不上是空谷足音。

　　除了一些文字修飾與時間情境的說明，以及相關文獻的注解，本書維持每一篇文章的原始論點，順序按刊登日期排列。一方面，說明台灣社會在不同時空中出現的問題或難題，以及事實的演變；另一方面，也顯示對某些人事物的特別觀察與批判，與後續的評估。所有的評論文章都基於事實，或從實例出發。事實本身不會自己說話，我們必須從相關理論或視野來解釋它們的緣起和社會意涵。

　　從知識社會學的角度看[4]，事實不放在某種理論框架下解釋，基本上沒有太大用處。在日常生活中，事實多如牛毛，潮來潮去，而且並非所有發生的事實都值得觀察、研究與探討。從一般人到學者，每個人對事實會有不同的取捨，也會有某種理論。理論多少會幫助我們理解，為什麼特定的事實會發生在特定的時空、社會效應與意涵又如何。

---

[4]　見 Karl Mannheim (1936). *Ideology & utopia: An introduction to the sociology of knowledge*. San Diego: Harcourt Brace & Company.

這些文章涉及各界有頭有臉的人物，在網路上刊登後，或多或少都引來讀者的回應，有些是意見／異見的真誠表達，更多的是藍、綠支持者或五毛黨的謾罵，以意識形態無理取鬧，包括用字粗俗與下流。後者的反應不過是為愚蠢提供注腳，他／她們無知、無理又無恥，既缺乏批判思考的能力，無法理解癥結所在，也拒絕以理性探討問題，又不具對他人的起碼尊重，跟蛋頭其實沒什麼兩樣。

在真實生活中，任何人只要具有批判精神，亦即超然、質疑與追根究柢的執著，都不難從幾個指標看出蛋頭言行的眉目，頂多是大小分別。

第一，無知。他／她們分不清事實與意見的差別。事實，是客觀的，可以檢驗，因此有對錯；沒有誰可以獨占真相，顛倒黑白。意見，是價值取捨或判斷，相當主觀，不分對錯，只有好壞；誰都可以對人事物發表看法，更可以堅持己見，即使到頭來不過作踐／賤自己。

第二，無理。他／她們把理論等同實證，把未經驗證的假定當作事實，以假亂真，又不看證據如何。一旦證據並不支持自己的知識宣稱時，他／她們還視而不見，繼續片面的主張，即使不是將錯就錯，也是認證偏差。

第三，無恥。他／她們的思維混亂，邏輯上倒果為因，還講不出一番道理，甚至強詞奪理，不知反思與反省。他／她們的信仰倫理與責任倫理的標準是，眾人皆醉我獨醒，或者用一句台灣人常說的俗話，別人的眼睛都給牛屎糊著。

由於缺乏有系統的實證數據，我們很難探討蛋頭的社會效應或後果。本書所提到的蛋頭都有相當地位與知名度，加上擁有發言的正當性和場地，他／她們私下或公開的言論都會成為新聞話題。因此，蛋頭的存在，多少不是個人麻煩，而是社會現象。

如果現有的文獻與證據足供參考，我們多少可以合理的推斷，一旦蛋頭的言論不受挑戰與修正，積非成是，傳播出去，他／她們勢必誤導一般人的視聽，戕害社會知識，扭曲社會現實，最終導致知識的匱乏和

理性的潰敗。

　　《跟蛋頭辯論》針對的主要是公衆人物，尤其是政客、學者與專家，但也適用於一般人。我們都是英國哲學家和歷史學家 Isaiah Berlin（1909-1997）在《刺蝟與狐狸》（1953）[5]中所說的狐狸，知道日常生活裏的許多事情，樂天知命而不憂，有些人偏偏想充當全知全能的刺蝟，企圖以定於一尊的單元思維解釋世上的萬物萬事，顛覆一般人的經驗、常識與知識，弄得相當抽象，並脫離現實，深奧難懂。

　　事實不會不言自明，儘管這些文章都帶有批判性質，但多少都含有理論或理論概念，用來解釋事實（事情或事件）發生的可能動因，與事後的意涵。我無法說文章中的解釋取徑是唯一之道，甚至是最符合事實的理論或理論概念，沒有其它替代或另類看法。

　　跟 Berlin 一樣，我相信自己是個狐狸，篤信對現實的多樣經驗和視野，而非刺蝟，堅持以全觀的單一真理，面對現實。當然，有些人會篤信狐狸老奸巨滑，或者是男女關係中的狐狸精，一種動物，隨人各表。

　　夏蟲不足以語冰，對那些不肯面對現實，曲解證據，還排斥追求真理的蛋頭來說，常識根本無關痛癢，更別提知識的重要了。常識不足，知識短缺，是蛋頭的最明顯指標。

　　依克魯曼的論點，殭屍就是行屍走肉，沒有知覺或自覺；蛋頭多少還會喃喃自語，只是自欺欺人，睜眼說瞎話。我寫評論文章，不在叫對方閉嘴，其實他／她們可能也不在乎，而是不讓他／她們信口雌黃，又輕易下台。知識分子的社會責任，在以更多的話語，指出蛋頭言論的謬誤或站不住腳，經不起驗證。

　　《跟殭屍辯論》的一個目標是為更好的未來奮鬥，《跟蛋頭辯論》的出發點沒有那麼崇高，其實也談不上為未來把脈，不過是記錄當下的一些荒謬的社會變調，指出一點狂道或曲學的個人弊病。台灣的未來不是幾篇文章就可喬定，而是須要更多人的努力，劍及履及，直逼蛋頭的腦

---

[5] Isaiah Berlin (1953). *The hedgehog and the fox: An essay on Tolstoy's view of history*, second edition. Princeton: Princeton University Press.

袋。

　　《跟蛋頭辯論》頂多是一種對話，直接對象是被批判的個人，間接
對象是滿街跑而不自知的蛋頭。知識分子的言責不外以筆代劍，筆桿的
力道雖然比槍桿來得大，大概也很難敲醒思維僵化的蛋頭。不過，當頭
一棒，大致會讓他／她們覺得頭疼。畢竟，要吃蛋，就得打破蛋殼。

無知篇

無知，不是原罪。每個人出生時，都是白紙一張，可以說機會均等。因為性別、教育程度與經濟社會地位等因素的影響，後果是否均等，就難說了。

除了極少數不幸的變異，沒有人一出生就註定要終身無知，白癡到極點。無知大部分是後天養成，有些人生在落後貧窮的地區，三餐溫飽都成問題，更別提要接受基本教育了；有些人生在重男輕女的國度，篤信女子無才便是德，例如，古代的中國或現代的一些伊斯蘭國家。不管如何，他／她們很可能難以想像知識是何物。

就個人來說，不談環境結構的影響，無知的形成有幾個原因。第一，自視甚高，無意追求知識，特別是超乎自己經驗以外的公共事務。第二，認證偏差，一知半解，尤其是不相信唱反調的人可能懂的知識比自己還多。第三，意識形態，面對非我族類的說辭，嗤之以鼻。第四，不聞不問，拒絕讀書或看報，更不知恥下問。

無知的反面不必是全知，鼴鼠飲河，不過滿腹，沒人可以一口吸盡西江水。無知的社會效應因人而異，程度有別，後果輕重不同。

官員／政客無知，不在學歷高低，而在不學無術，不食人間煙火。一旦位高權重，看不到蒼生疾苦，所可能造成的傷害最大，因為他／她擬定的政策執行起來，影響深遠，牽涉納稅人的金錢與人民日常生活方式的取捨，包括對自由民主的戕害。

學者無知，不在職位大小，而在無視知識為何物，更別提知識分子的社會擔當。無知反映在白紙黑字中，固然自曝其短，錯誤的知識宣稱

透過新聞的渲染，難免以訛傳訛，造成對社會現實的誤解與大眾知識的誤導，例如總統大選期間民意調查的偏差解讀。

記者無知，不在媒體性質，而在對新聞本質欠缺理解，不知人民耳目所為何事。為博當權者關愛的眼神，或替官員／政客照本宣科的記者，不過是商業機構營利或官方宣傳的工具，遲早淪為資本家、政客、學者或專家的共犯，狼狽為奸，扭曲事實，污染社會知識。

一般人無知，不在人微言輕，而在缺少批判能力，得過且過，縱容官員、政客、學者或記者顛倒黑白或一手遮天。百姓無知，傷害力也許只及個人或小群體，無傷大雅，如果淪為民粹操弄的對象，成為政客掌控的幫凶，例如對海峽兩岸局勢的盲從，便茲事體大。

看川普下圍棋　✎*2016 年 12 月 5 日*

　　美國總統當選人川普（Donald Trump, 1946- ）2016 年 11 月 2 日與台灣、阿富汗、菲律賓和新加坡四國領導人分別對話，其中與蔡英文（1956- ）總統的交談最引起國際媒體的重視。《紐約時報》認為川普的舉動打破過去 40 年來美國外交慣例或禁忌，無疑會激起中國的憤怒。

　　從國際傳播的角度來說，不論川普的真正動機何在，台灣朝野用不著心喜若狂，學者與專家更犯不著大吹大播。商人從政，又唯利是圖，川普往往不按牌理出牌。就任總統前，他不過是在下一手棋而已，一個投石問路的起手式，對台灣好壞，還很難說。如果遵循以往的美國外交操作，川普大可不必與蔡英文對話，也不需要昭告天下。

　　由表面上看，台灣與其它三個國家並列，表明川普承認台灣是個國家，他的推文也以台灣（而非 Chinese Taipei）總統稱呼蔡英文。這一通電話因此具有相當意涵，對民調低迷的蔡英文多少有點加持的力道，好歹讓她在一無是處的內政困境下，展現對美外交的一點突破。深一層看，民進黨政府在對美關係上恐怕還沒有大張旗鼓的政治資本，畢竟球控制在美國手裏。

　　由國際傳播過程分析，尤其是透過比較研究的方法，跳出現有的藩籬，從另一個視野看川蔡互動，我們才能多少釐清國際現實。換句話說，川普與蔡英文的交談不應單獨看待，一個簡單的難題是：如果台灣現任總統是中國國民黨的朱立倫（1961- ），川普會不會和他對話？答案如果是不會，川蔡對話不僅有象徵意義，更有潛在的實質作用：蔡英文政府在某種程度上符合未來川普政府的政經利益。

　　不過，我們有理由相信，川普還是會跟朱立倫進行電話交談。也就是說，不管台灣誰當總統，川普跟他／她對話的出發點，無關個人魅力或領導能力，更與民進黨或國民黨沒有瓜葛，而在於台灣本身。亦即，

在川普的國際關係佈局中，特別是對中國在亞洲逐漸向外擴充的霸權架勢裏，台灣是一顆重要的棋子。

川普不在下象棋，而在下圍棋。面對中國時，即使是象棋，他不可能飛象過河，打亂整盤棋。既然是圍棋，他更不會在棋盤上，任意落子，毫無規矩。

從歷史經驗看，美國與中國多年來建立的雙邊關係，不會輕易的被政權輪替變更（美國或台灣的），最壞不過是華盛頓與北京在世界舞台上進行一場摔角戰。川普擁有龐大的商業帝國，在組織結構和市場策略與戰略方面，不會沒有任何章法。

過去幾年，川普在市場上巧取豪奪，應用在國際關係上，由競選期間的言論看，他應該很清楚兩軍對峙時，美國的國家利益何在，作為總統，他又如何以符合國家最大政治利益的手段，達到目的。台灣可能是川普在亞洲圍起美國勢力地盤的一顆活棋，進可攻，退可守，就看中國怎麼回手。

從 1972 年尼克森（1913-1994）總統訪問中國以來，不管是共和黨或民主黨執政，在國際關係上，美國歷任總統所採取的外交手段幾乎全是現實主義（realism）[1]的翻版，只是程度有別而已。

在對外政策中，現實主義所強調的是國與國間的力量大小，強國永遠以普世價值的操作（如民主、自由市場或人權），掩飾或稀釋國家利益的真正目的，弱國只能在強國交鋒之間，或擇木而棲，或任人擺佈，才能苟延殘喘。現實主義念茲在茲的是國家利益，而非國際道義，後者頂多是強國利益瓜分後的合理化說辭，一種師出有名的藉口，例如中國和平崛起在亞洲（台海、南海與東海）所造成的緊張局面。

觀棋不語真君子，看川普下圍棋，特別是對手是中國國家主席習近平（1953-），台灣最好別企圖下指導棋，只要確保自己不被捏死在別人手裏，或是成為圍棋中打劫方法的一顆棋。

---

[1] 有關現實主義的歷史思維，見Michael Joseph Smith (1986). *Realist thought from Weber to Kissinger*. Baton Rouge: Louisiana State University Press.

看川普與習近平下象棋　*2017 年 2 月 13 日*

美國總統川普（Donald Trump, 1946-）2017 年 2 月 9 日終於與中國國家主席習近平（1953-）搭上線，並應後者要求，同意尊重「美國的」一個中國政策。這個發展距 2016 年 11 月 2 日川普跟蔡英文（1956-）總統通話，才 3 個多月。

《紐約時報》和其它美國新聞媒體大都認為，川普在海峽兩岸關係方面公開讓步，使北京在中美較勁上取得優勢，更將了台北一軍，把台灣的國際地位打回妾身尷尬的原形。川普就任總統才 3 個星期，一通川習對話，不過三言兩語，就直接認可美國與中國的遊戲規則，毫不含糊。

這種轉變大概會讓台灣的專家和政治學者相當難堪，特別是那些在 2016 年 11 月 2 日總統當選人川普與蔡英文總統通話後，立刻吹擂他對台「溫馨」和「友善」的學者或專家，恐怕難以自找台階下。他們在瞬間變化的國際關係中夸夸而談，畢竟多少誇大其詞。

即使不按牌理出牌，川普政權終究了解，下象棋，不能飛象過河；掀了底牌，習近平一手馬後炮，根本讓川普動彈不得。

台灣對川習對弈的反應，就算不是故作淡定，也顯得很阿 Q。外交部表示台美雙方持續依據「零意外」的原則保持密切聯繫，一副川習互動盡在運籌帷幄之中。至於「零意外」原則到底指的是什麼，或是如何估算，難免是虛張聲勢，或虛應一番，不痛不癢。

在講究政經和軍事力量的現實主義[2]下，隨著國際局勢的千變萬化，意外縱然不是常態，大抵常見，歷史上多的是例子。所謂的「零意外」或許是夜行人吹口哨，從總統府到外交部，台灣的國安團隊與駐華

---

[2] 見 Michael Joseph Smith (1986). *Realist thought from Weber to Kissinger*. Baton Rouge: Louisiana State University Press.

盛頓官員到目前可能還摸不透川普下的是什麼棋，甚至看不懂棋局。

　　對美國來說，從 1979 年與中國建交起，海峽兩岸方程式的演算結果是零和遊戲：北京之得，必然是台北之失，反之亦然。在一中框架下，因為牽涉國家主權，北京和台北不可能雙贏，也談不上和局。

　　不論國民黨或民進黨執政，台灣官方一再推銷的兩岸和平協議，如果沒有美國居中折衝，不免一廂情願。習近平出手，川普便棄甲曳兵，宣稱遵守 40 年來既定的楚河漢界。川普前後不一，在在顯示美國的中國政策早已具備整體運作和剎車機制，很難因總統個人的想像，隨意改弦易轍，除非中國內部發生巨變，或國際局勢全面洗牌，並對台灣有利。

　　在未來幾年，由於習近平大權緊握，中國的經濟發展又方興未艾，一般的觀察是，中國看不出有政治或社會動盪的潛在危機。倒是在台灣，執政黨和在野黨有關國家身分的認同和對外宣稱，一直同床異夢，不但言論乖隔，而且綁手綁腳，自我設限，打亂對付中國進逼的招術。

　　即使川普有意變更兩岸棋譜，面對不動如山的中國，大致無法有效佈局。北京既然在棋盤上將軍抽車，台北便只能忍受一路挨打。

　　下象棋，除了通盤思考和步步算計，膽識與臨場策略也是關鍵。川普固然在台灣國際地位上，讓了習近平一步，卻未必全盤皆輸。與習近平交談隔天，川普和日本首相安倍晉三（1954-）共同發表聲明，確認美日安保條約涵蓋釣魚台列島。

　　這是日本的奇襲，也是美國的兩手刃；不像以往，中國竟然沒有立即嗆聲譴責。面對如此弔詭棋局，台北得小心衡量，一旦中美在東海交鋒，甚至在台海掀起風波，比起幾個蛋丸小島，台灣在美國的棋盤上究竟占有什麼位置？

公民記者的盲點與膨脹[3]　*2017 年 5 月 4 日*

公共電視台《PeoPo 公民新聞》2017 年 4 月 28 日舉辦成立 10 周年公民新聞研討會，100 多位公民記者出席。因為沒有任何商業媒體記者到場採訪，學者和專家也不再吹捧，不少公民記者覺得不受重視，從台上發言到台下交談，他／她們顯得有些被冷落的委屈與不滿。

這是一個社會制度演化的里程碑，一場參與者共同打造的回顧和未來展望的聚會。10 年不短，從現場怨嘆和後續反應看，公民記者的盲點是，他／她們分不清公民新聞為何物，又堅持自己與一般記者無異，多少自我膨脹，往臉上貼金。

不管是台灣或其它國家，公民記者與公民新聞的出現都有特定的時空背景。[4] 一方面，在相當程度上，公民新聞是對傳統媒體和商業化新聞不再符合公民社會要求的反應與挑戰。除了定期選舉，台灣人民當家做主的意識廣泛獲得尊重與發揮，讓公民不再受國家機器打壓。公民記者因而是一種自主與獨立的宣稱，透過自發的途徑與行動，從事社會觀察的隨機報導與評論。

另一方面，數位傳播和媒體匯流，尤其是網路平台與個人傳播工具的普及，賦予一般人在採訪報導上的便捷，甚至隨時與人民雙向對話（如直播）。這是新媒體生態下的新聞勞力分工，意見自由市場裏多了從讀者變成記者的眾多演員或玩家（player），大法官於 2011 年 7 月 29 日以 689 號釋字保障公民記者的採訪自由，進一步提供法理依據。

---

[3] 本文改寫自 2017 年 4 月 28 日《PeoPo 公民新聞》研討會「公民媒體的生態與消長」發言，其中一部分以「公民記者不是正義的代表」，發表在《PeoPo 公民新聞》（2016 年 6 月 10 日），不代表《PeoPo 公民新聞》的立場。

[4] 見張讚國（2013）。《匆促的記者：公民新聞、媒體與社會》。香港：香港城市大學出版社。

　　不過，公民記者要與傳統新聞記者平起平坐，可能不切實際，也不免錯把馮京當馬涼。採訪機會均等，並不表示後果一定均等，公民記者不必幻想或妄想與商業媒體記者在相同場域（如總統府或行政院）同進同出，即使不至於惡性競爭，難免一丘之貉。

　　歷史上多的是前車之鑑，國際間，公民新聞最受矚目的，大概是2000年南韓創立的OhmyNews，它在巔峰時期有7萬多名公民記者，散佈世界各地，比台灣《PeoPo公民新聞》2017年的9200多名公民記者多出幾倍，新聞報導的數量也非後者可以望其項背。

　　只是好景不長，OhmyNews壯大後，面臨獨立地位和財力穩定的雙重壓力，公正與客觀遂不斷遭受質疑，被迫在2010年停止運作。10年間，一個難以推諉的主要弊病是，公民記者混淆了公民角色與記者身分的分野，做法偏差，例如在報導時照單全收、缺乏查證、侵犯隱私、變相廣告和危言聳聽等，這些都與商業媒體沒什麼兩樣。

　　OhmyNews的興衰值得所有投稿《PeoPo公民新聞》的人借鏡：公民記者欠缺的不是剪接技術和文字寫作，而是公民新聞觀念的養成與實際操作的原則。

　　一個基本界限是，公民記者跟《PeoPo公民新聞》與公視沒有任何直接或間接的僱傭關係。研討會當天，許多公民記者卻在照相機或攝影機上貼出醒目的《PeoPo公民新聞》的標記，甚至自印帶有《PeoPo公民新聞》符號的名片，有意或無意的暗示他們是《PeoPo公民新聞》的記者，有些人甚至大言不慚。

　　這是嚴重的誤解與誤導，反映出一些公民記者相當看重的是「記者」名器，而非「公民」擔當，魚目混珠。2016年6月9日鬧得沸沸揚揚的洪素珠事件，讓公民記者成了過街老鼠，便是劣幣驅逐良幣的典型，也難怪主流媒體與社會大眾要排斥公民記者。理由無它，公民新聞再如何卓越，都強不過最醜陋的一面，更何況良莠不齊的散兵游勇。

　　公民記者洪素珠（素素）在社交媒體上發佈了一段歧視和辱罵榮民的影片，引起軒然大波。從官方到民間，由記者到一般人，撻伐之聲不

斷。

　　素素成了過街老鼠，不是因為她是公民記者，而是她根本缺乏理性，不具人道關懷，又假藉「記者」名義，認為自己是正義的代表，在替天行道。這是個人缺失，而非社會問題。一般人的反應或批判，都不必無限上綱。族群和諧如果只因一個公民記者的胡言亂語，就被撕裂，或出現對立，台灣的社會結構未免也太脆弱。

　　在被全部下架前，洪素珠在《PeoPo 公民新聞》平台上發佈了不少影像報導與批判文字，算是相當積極的公民記者。不管我們同意或不同意她的態度和用字遣詞，這是她作為自由人的基本權利，只要不涉及立即與明顯的傷害和危險，別人沒有太多置喙的餘地。

　　台灣既然是個自由民主的國家，自由民主如果要有任何實質意義與操作，最起碼的指標之一是，我們必須容忍多元社會裏的不同聲音、意見和立場，包括那些自我作賤的言論與行為，尤其是令人憤怒的尖銳與非理性言辭。

　　面對無理取鬧，甚至無法接受的言論時，我們回應的最好辦法，不是要他人閉嘴，而是以更多的理性話語，進行詰問和批判，突顯對方的無知、無理與無恥，讓他／她無地自容。公民社會不是躁動囂張的場所，更非毫無章法的叢林世界。謾罵只是降格以求，一起比爛。

　　洪素珠在報導與評論時，字裏行間常常有意或無意的以「公視記者」的姿態出現，其實這是很多公民記者常犯的毛病。他們顯然難以理解，《PeoPo 公民新聞》只是個開放平台，在這裏發佈報導的個人，都跟公視沒有任何直接或間接的職場關係，更不隱含公視認可的記者身分。新聞與意見所以重要，是因為它們是自由民主的基石之一，並非以職位為要件。

　　公民記者的興起，多少值得專業記者反思，特別是他們日漸放棄看門狗的職責。公民記者不附屬任何新聞機構，只代表自己，必須對自己的言行負責。一旦公民記者跟商業記者一樣嘩眾取寵，甚至墮落，所謂的記者稱呼不過是不負責任的遮羞布。群起而攻，無妨。

　　如果我們仔細觀察《PeoPo 公民新聞》的內容，一個明顯的事實是，大部分頂多只是例行報導（report 或 news），談不上是嚴謹的新聞（journalism）；評論也無關公共事務或群體利益，更多的是私人的即興感受或強說愁的個人麻煩。

　　很多公民記者忽略的是，公民與新聞不會毫無定義和規範。公民，不是私人；新聞，也非遊記。他們對社會的關懷和參與，也就往往侷限於私領域的零碎生活點滴，根本跟在臉書或部落格中寫個人日記一樣，不僅偏離公領域，又缺乏多元或另類觀點，操作手法跟商業新聞一窩蜂的現象難分上下。

　　公民記者固然業餘，公民與新聞的互動卻沒有業餘和專業之分。如果公民記者忽略自由民主對公民與新聞的雙重社會要求，公民新聞勢將難以為繼。10 年後，一代新人換舊人，公民記者大概不會消失，從《PeoPo 公民新聞》10 周年慶被主流媒體漠視的事實看，公民新聞還成不了氣候，要發展為一個獨立自主的另類制度，在傳統新聞之外，提供台灣人民一個清新的替代選項，恐怕並不樂觀。

　　十年樹木，所有的公民記者不妨反思：過去 10 年，公民新聞所為何事？公民記者又解決了什麼社會問題？

統一的中國與分裂的台灣　✎*2017 年 5 月 28 日*

　　世界衛生大會 2017 年 5 月 22 日到 31 日在日內瓦召開會議，台灣被拒於千里之外，根本原因是，中國發函各國不准「中國台灣省」參加大會。理由無它，過去幾年，台灣以「中華台北」名號出席世衛大會是中國特許，而非權利。中國收放自如，台灣卑躬屈膝，毫無討價還價的餘地。

　　一些友邦邀請台北以觀察員身分與會的提案，也因中國反對，被世衛大會擱置。台灣不得其門而入，並不意外，鎩羽而歸，非戰之罪。在國際間，不管是中國霸權，還是台灣咎由自取，台北長久被世界組織摒棄。

　　這個冷酷現實反映的，其實是海峽兩岸糾纏不清的殘局：中國以統一（中共一黨獨尊）的上國姿態遊走世界，四處打擊並逼迫分裂（中國國民黨與民主進步黨同床異夢）的台灣就範。人不為己，天誅地滅，更何況一個世界強權？

　　在北京政府眼中，台灣從來是中國領土，受中央管轄，沒有其它定位。即使 1949 年國共內戰後，海峽分治的事實也未曾動搖中華人民共和國是中國共主的宣稱。2015 年，北京出版 18 卷《中華民國專題史》，白紙黑字，無疑把中華民國（1912-1949）正式蓋棺論定。2017 年世衛大會以「中國台灣省」定調台北，不過是中國統一的邏輯延伸：台灣是中國的一個省分，主權操在北京手裏。

　　在如此霸道的框架下，不論是概念或操作，中國國內沒有任何個人或團體，膽敢為台灣的獨立地位或主權提出一點辯護，甚至主張兩岸平起平坐。換句話說，儘管無關事實，中國的國家統一是不容質疑的假定，所謂「實踐是檢驗真理的唯一標準」，搬到國際關係上未必適用，相關話語或修辭侷限，顯然是對付台灣的另一種必要手段。國共兩黨之

間一笑泯恩仇，其來有自。

　　從「反攻大陸」到「國共論壇」，國民黨搖身一變，又處處劃地自限。黨主席或副主席與其他有頭有臉的大員，只要能急忙進京「述職」，或在台北會見京畿大臣，就算與中共公文往返，都不免去除中華民國的符號和主權象徵。自以為是的「一中各表」，竟然也難以跨過台灣海峽中線，過此一線，便是中華人民共和國全銜代表中國的「九二共識」，連各表的文字遊戲都省了。

　　國民黨主席當選人吳敦義（1948-）對中共黨主席習近平（1953-）的賀電回函，不分黨派或藍綠背景，學者與專家用不著字句推敲，過度解讀。從頭到尾，這個電函其實都在共產黨設定的遊戲規則下進行，國民黨不過是替台灣的中國附屬地位背書，至少不表異議。

　　相對於中國堅持統一的言行，台灣對自身的認同明顯四分五裂。蔡英文（1956-）總統就職一周年，各種民調數據一路下跌，縱使並非慘不忍睹，可能也接近民心失守的臨界點。她的回應是，施政不為民調，而為台灣。至於台灣是什麼，從總統府以降，各有說辭。

　　小英的正式頭銜是中華民國總統，2016 年 11 月 2 日與美國總統當選人川普（1946-）的電話交談，落款卻是台灣總統。針對 2017 年世衛大會的閉門羹，行政院衛生福利部長陳時中（1953-）與大陸委員會主任委員張小月（1953-），分別在國內外發表談話，用語不外是以中國大陸對應台灣，或以中華民國抗拒北京的「一中原則」。名詞錯置，師出無名，行動就難免不具正當性。

　　國家（nation），是美國學術泰斗 Benedict Anderson（1936-2015）所說的一個想像的共同體（imagined community）。[5] 因為自由民主的體制，加上歷史和文化因素使然，過去幾十年來，台灣允許人民對國家認同有各種可能的想像，包括海峽兩岸的統獨追求，一直僵持不下。對外共識缺乏，是導致台灣內部分裂的主因。

---

[5] Benedict Anderson (1983). *Imagined communities: Reflections on the origin and spread of nationalism*. New York: Verso.

　　除了台灣（民進黨的終極政治符號），台北對內或對外的稱呼可以是「中華民國」（國民黨安身立命的基礎）、李登輝（1923-2020）的「中華民國在台灣，或「中華台北」（1981年奧運模式）。其中以「中華台北」最為不倫不類，它不過是英文「中國的台北」（Chinese Taipei）的虛擬變調，不幸的是，行之多年，已然是台灣行走國際組織的「正統」名目。

　　從執政的民進黨，到在野的國民黨，這些名稱的使用者若非自欺欺人，就是自相矛盾。一個台灣，竟然有多種身分認同，便讓中國有機可乘，在台灣內外，黨同伐異，予取予求。畢竟，一個分裂的台灣，面對統一的中國，難免自亂陣腳，任由中共的代理人（個人、團體或媒體），在法理與實際操作兩方面，把台灣逼到無以回身的角落（如中華台北淪落到中國台灣省），舉步維艱。

　　形勢比人強，由 1971 年中華民國被迫退出聯合國起，從官方到民間，世界組織無視台灣的國家地位，一直是現實主義（realism）在國際關係中政治角力的必然後果。

　　在中國政經壓力或誘惑下，分裂的台灣徒然提供統一的中國一個合理化的主張。世界各國向霸權低頭，考慮的不過是自身利益，國際正義頂多是台北的幻想，北京早已佔據指點兩岸江山的政治高地。

當抽象的總統面對真實的台灣　✐*2017 年 6 月 6 日*

　　台灣是個地理名詞，對 2300 萬人民來說，卻相當真實，這是他們安身立命的家園。在政府眼中，台灣看來很抽象，只有山川土地，沒有升斗小民，特別是蔡英文（1956-）總統，2016 年施政一年以來，似乎分不清真實與抽象，因此乏善可陳。

　　真實，是日常生活中的親身經驗和感受，不假外求；抽象，不過是文字或概念的表達，脫離現實。從真實到抽象，兩者之間沒有一對一的必然邏輯關聯。[6] 由鄉村到城市，台灣人民每天都生活在現實之中，冷暖自知。不論中央或地方，政府官員卻盡在文字和話語間打滾，例如交通部長賀陳旦（1950-）有關 2016 年 6 月 2 日桃園國際機場漏水非淹水的辯解，以一字之差遮蓋事實。

　　官府的小事往往是民間的大事，不該等閒視之，至於民間的大事，官府更應戒慎恐懼。理由很簡單，官員的權力全來自人民的託付，言行舉止，應有所為與有所不為；政府的財力則源於人民的納稅錢，收支之間，該進用有度。人民有難，政府責無旁貸，除了劍及履及的實際操作，更有道德擔當的要求。所謂作之君作之師，不分市長或總統，這個道德責任無法稀釋或推諉。

　　2017 年 6 月 2 日起，一場傾盆大雨，弄得台北與台灣其他地區狼狽不堪，柯文哲（1959-）市長竟認為下得太好了，可以亡羊補牢。柯文哲未必談笑風生，倒是十足不知民間疾苦。他看到的，顯然是 8 月間世界大學運動會場地是否漏水的未來問題，而非交通中斷與人民財產損失的現實困境。柯文哲不是失言，也非白目，而是目中無人，尤其是無視 270 多萬台北市民的身家安危。

6 　見 Peter L. Berger & Thomas Luckmann (1966). *The social construction of reality: A treatise in the sociology of knowledge*. New York: Anchor Books.

　　首都市長如此，中央政府官員其實也相去不遠。當不少公路柔腸寸斷，當街道水流成河，當房屋被大水冲落溪床或被土石流掩埋，當人們水深及膝，當農場遍地雞屍，當稻作淹沒水中，當店內滿地黃泥，當各地許多人民望水興嘆時，蔡英文在中央災害應變中心所說的話，簡直不痛不癢：「防救災工作視同作戰，是優先中的優先」。話說得似乎急迫，頂多只是口號式的陳腔濫調。

　　在蔡英文看來，「防救災工作」究竟是什麼樣的戰爭？政府又跟誰作戰？跟自然打仗？如何打？有些學者和專家會說，尤其是綠營的政治化妝師（spin doctor），小英做個比喻罷了，用不著吹毛求疵。

　　不過，君無戲言，總統也不能天馬行空。三軍未動，糧草先行。任何戰爭很難說打就打，更何況與大自然的爭鬥。天有不測風雲，從北到南，大雨過後，戰場早已一片狼藉，家園千瘡百孔，人民遍體鱗傷，政府的作戰可能還停留在沙盤推演或勘災階段。

　　就算是善後，「優先中的優先」聽起來也許有十萬火急的味道，對那些土地沒頂或田園失守的人，恐怕遠水救不了近火。話語沒有相對應的行動，就永遠是概念而已。

　　優先，是個抽象名詞，受災人民關心的卻是很真實的問題：蔡英文的優先到底指的是什麼？補助金先發？發多少？軍隊與消防隊馬上出動，進駐村落，收拾殘破山河？橋樑重建或道路整建立即發包，何時動工？大雨無情，災害地區不分藍綠的政治光譜，復建的優先順序誰來決定？天災之後，菜價上漲又怎麼控制在合理範圍內？在下次大水肆虐前，各地的河堤和下水道怎麼防範於未然？山林濫墾的現象如何杜絕？

　　這些問題一點都不抽象，涉及的財力、人力或物力全可具體的轉化成數字，再加上明確時間和應用地點，多少可以反映出，面對人民承受的災難，政府感同身受。不幸的是，蔡英文的公開談話僅止於抽象層面，如此反應大致難以感動或鼓舞雙腳深陷泥淖的人民，更別提要解決他們的迫切問題了。

　　新北市金山區重要交通管道礦溪橋 2017 年 6 月 2 日被大水冲斷後，

朱立倫（1961-）市長即刻表示在一年內重建，無疑比蔡英文的「優先中的優先」來得具體。一年是期限，重建是動作，多少都比較切實。

美國聯邦政府或州政府處理天災人禍時，一旦災害程度嚴重，可以主動宣佈受害地區進入緊急狀態，只要總統發佈緊急狀態令，聯邦政府便投入大量人力、物資、設備和財力，甚至調動後備軍隊（National Guard），全面動員救災。這種由上而下的舉動在在顯示政府是人民的堅強後盾，比起空洞的字眼，擲地有聲。

蔡英文進入中央災害應變中心後，大可宣佈災害地區進入緊急狀態，並責令相關政府部門立即提撥經費（多少錢），動員人力（軍隊、警察或消防隊）與物力（飲水、糧食和重機械設備等），指名從哪個鄉鎮或哪塊田園開始，與受災人民共同打拼，一步一腳印，重造家園。

作為總統，蔡英文面對的，畢竟是活生生的台灣人民，而非一塊抽象的冰冷土地。

習大大的現實與小英的理想　✎2017年6月21日

在「一個中國」原則下，巴拿馬於2017年6月12日宣佈跟中華民國斷交，並與中華人民共和國建交。從2016年起，因為中國國民黨所謂的「九二共識」被束諸高閣，北京終於在民進黨執政後一年，挖了台北所剩無幾的最重要友邦，雙方的國際攻防正式白熱化，後者的外交關係難免從此節節敗退。

斷交茲事體大，國民黨與泛藍的學者和專家自然冷嘲熱諷執政黨無能，孤立台灣；民進黨和泛綠的學者與專家當然百般指控中國共產黨罔顧現實，製造爭端。

作為總統，蔡英文（1956-）立即發表措詞強硬的聲明，以「中華民國」對應「中華人民共和國」，頗有兩國論的味道。小英固然強調「絕不會在威脅下妥協讓步」，話語卻拖泥帶水，留下相當敗筆。在兩岸關係上，小英擺出「台灣已經善盡一切責任」的姿態，歸咎中國的現實策略與玩弄國際手段，一廂情願的理想說辭，註定要對牛彈琴。

蔡英文是個理想主義者（idealist），上任後，有關「維持兩岸現狀」的思維，充滿理想色彩，面對中國強人進逼，就算不是溫良恭儉讓，也是一副與人為善的模樣。這種企圖以道義勸說對抗強權的道德想法，其實是幻想，根本癥結在於，她對國際政治中現實主義（realism）[7]的架構與操作欠缺了解。

現實主義者（realist）的基本思考邏輯不外是國家力量大小、利益何在與後果如何，國與國之間的道義和正義全不切實際，無關痛癢。在現實主義下，國家的利益以力量強弱與安危程度（不論是真實或想像的）來界定，而非透過道德高低來衡量。也就是說，一個國家能否周旋於國

---

[7] 見Michael Joseph Smith (1986). *Realist thought from Weber to Kissinger*. Baton Rouge: Louisiana State University Press.

際舞台上，先決條件是本身力量能否引人側目，以及如何實際運用，讓對手不敢輕視。

台灣罵巴拿馬寡情寡義，只是不知自己輕重。在現實主義看來，面對政經利益（具體價值）與信守承諾（抽象價值）的取捨之間，巴拿馬無可避免的會選取前者，中國幾百億經援或投資，畢竟要比一百多年的友誼來得實在，後果也立竿見影。台灣只能打落牙齒和血吞，空口說白話，無濟於事。

從 2012 年掌握大權後，由東海到南海，中國國家主席習近平（1953-）處處展示現實主義的思路和佈局，與蔡英文的理想主義大異其趣。遺憾的是，放到兩岸關係上，小英與國安及外交幕僚似乎未能體認一個基本事實：雙方兩極化的運作系統，對國家利益、政府國際行為與後果都有相當程度的影響。

一方面，中國是定於一尊的宰制政治，內外言行由極權的共產黨統治與拍板，習近平集黨政軍大權於一身，說一不二，沒有任何人敢公開挑戰習大大的威權與權威。另一方面，台灣是自由開放的民主政治，從1996年總統民選後，中國國民黨和民進黨便一直為國家定位，或統獨之爭，喋喋不休。不論對內或對外，兩黨毫無交集可言，比起中共的唯我獨尊，就顯得分崩離析，不堪一擊。

由於歷史留下的糾纏（國共內戰）和台海的戰略地位（中、美、日三方的利害關係），中國與台灣的直接或間接衝突因此難以避免，政經力量威脅利誘，或大軍壓境，遲早而已。在國際政治中，只有弱者才會訴諸道義或道德的爭辯，不管弱者如何大聲疾呼，強者早已攻城掠地，不是親自動手，就是透過弱國的代理人，予取予求，如入無人之境。

兩岸之間多的是殘酷的歷史事實，最近的例子是，巴拿馬才與中華民國斷交，即將卸任的國民黨主席洪秀柱（1948-），執意出席廈門海峽論壇，大談解決 1992 年後的政治問題，與中國全國政協主席俞正聲（1945-）相互唱和，為一個中國原則背書。

洪秀柱幾次進京，不過是台灣自由民主化後無意的後果，其實也不

難預測。她在意的無非是中國的強大，而非台灣的自由民主。其中的弔詭是，洪秀柱得以自由人的身分，在對台虎視眈眈又不自由的中國，強烈主張斷送台灣未來的自由民主。以道義和正義責之，顯得蒼白，軟弱無力。

現實主義堅信，如果沒有外力限制（如法律；道德約束只是烏托邦），個人（如洪秀柱）很難抑制自己對權力和財富的企求與追逐。國家也一樣，由於實質和潛在的利益衝突，例如具體的資源和領土或抽象問題（政治信仰和民族認同），國際間的自然狀態是國與國間經常維持一種競爭、鬥爭或戰爭，國家因此必須以各種辦法和力量讓自己立於不敗之地。

不幸的是，在國家之上，國際間其實沒有任何外力可以有效制止和制裁一個國家窮兵黷武，或耀武揚威，如中國在東海與南海興風作浪，或北韓動不動就發射幾個洲際飛彈。聯合國只是聊備一格，不僅難以制裁強國的軍事擴張，恐怕連弱國的內戰也擺不平。

從現實主義分析，中國和北韓並非真的想挑起國際爭端，甚至戰爭，擺明的不過是進可攻退可守的軍力，一種你奈我何的赤裸力量，從而取得某種國際關係的嚇阻平衡。前蘇聯領導人史達林（1878-1953）對梵蒂岡的道德指責，只以一句問話回應：教宗有多少師軍隊？

北京從來不放棄以武力統一台灣的宣稱，目的不外是在台灣內部製造恐懼和順民，並提供其代理人或團體一個合理化的出發點（獨立將使台灣萬劫不復），繼續為中國統一大業，搖旗吶喊，不戰而屈台灣之兵。

既然是小國，台北當然沒有能耐，更沒必要，在台灣海峽發動一場「反攻大陸」的戰爭。面對北京武力相向（1500 枚飛彈對準台灣），小英對習大大的回應不妨更具體和明確點：只要中國以飛彈摧毀台灣任何城市，台灣將如法炮製，集中所有飛彈，轟炸廣州或其它沿海大城。

一旦不利後果可以預料或難以避免，現實主義者在採取莽撞的暴力行動前，通常都會三思而行，習大大應也不例外。

人在江湖：吳音寧在哪裏？　　✎ *2018 年 9 月 18 日*

　　台北市政府副市長陳景峻（1956-）2018 年 9 月 14 日辭去台北農產運銷公司董事長職務（9 月底生效），市政府與北農之間的人事和政策糾紛，因而顯得白熱化，事情未必到此為止。陳景峻去職，對市長柯文哲（1959-）來說，也許是壯士斷腕，不過債有主，柯 P 最後不免要賠了夫人又折兵，兩面不討好。

　　新聞媒體與一般網路評論都認為，在市府與北農的爭鬥中，幾番攻防廝殺，柯文哲從咄咄逼人，到虎頭蛇尾，顯然落居下風，北農總經理吳音寧（1972-）成了最大贏家，儼然是他的天敵。柯文哲亂刀砍吳音寧不成，自己倒損兵折將，在台北市議會裏捉襟見肘。

　　以首都市長之尊，柯文哲無疑嚥不下這口氣（一個小女子居然斗膽挑戰一個大市長的威權，真是孰可忍，孰不可忍！），從尖酸刻薄（「她懂什麼東西」），到口爆粗話（「我操」），極盡打擊之力道。他突顯的不但是道德倫理的潰敗，特別是德國社會學家韋伯（1864-1920）所提倡的信仰倫理與責任倫理，[8] 恐怕雙雙蕩然無存。

　　在整個過程中（這件事離落幕可能還早），柯文哲與身邊的高級幕僚處處顯露政治菁英與知識分子的傲慢和狂妄（逆我者，殺無赦！）。也難怪，他們在跟吳音寧的角力中，往往自以為是，認為占據了道德高地，任何對市府北農人事的安排與第一果菜批發市場改建方案的質疑，全是不自量力（市政如麻，你們懂個屁！），無理取鬧（我操，哪來的門外漢？）。

　　吳音寧懂什麼東西？真是大哉問。柯文哲這句話可以從兩方面來探討：其一，吳音寧懂什麼？其二，她懂的又是什麼東西？前者，是對吳

---

[8]　有關韋伯的兩種倫理，見 H. H. Gerth & C. Wright Mills (eds.). (1948). *From Max Weber: Essays in sociology*. London: Routledge & Kegan Paul.

音寧的知識與視野的蔑視，她的才智能力如何與柯 P 精挑細選的團隊相抗衡？後者，是對吳音寧的學識和經驗的鄙夷，她的實務操作怎麼比得過官僚體系與柯 P 的 SOP？說穿了，所謂 SOP 就是一個蘿蔔一個坑，吳音寧算哪根蔥？

　　一些名嘴和專家相信吳音寧出任北農總經理主要是憑父親（總統府資政吳晟，1944-）的庇佑，更堅信她是民進黨透過對北農董事會掌控所下的一顆棋子，目的在對抗柯文哲（朱學恆所說的「以下馭對上馭」的「太上總經理」）。有些人還信誓旦旦，吳音寧上台後，所作所為，已背棄廣大的農民，而向盤商靠攏，謀取她個人的最大經濟和政治利益。例如，東森新聞的《關鍵時刻》就指出吳音寧與盤商之間勾勾搭搭。

　　不管是柯文哲或一般媒體，他們對吳音寧的是非評斷似乎都只在表相上打轉，抓住一點蛛絲馬跡，便想當然爾的大做文章。他們的理由不外是，人在江湖，身不由己，混水摸魚，也就不在話下。吳音寧既然隻身闖蕩江湖，所有的叢林遊戲規則自然適用在她身上，「我操」頂多是口語暴力，她怕熱就不要進廚房。

　　柯文哲大概很早就想把吳音寧趕出他的廚房，礙於不看僧面，看佛面，佛既不可欺，對她，自然不能兒戲一番。吳音寧懂什麼東西？這個問題其實不難回答，也許柯文哲和新聞記者可以多讀點書，至少不應該健忘。吳音寧如果沒有一招半式的功夫，可能也不敢在柯醫生面前動刀（市場改建竟然可以省 11 億元！）。

　　吳音寧並非不學無術，她於 2007 年出版《江湖在哪裡？台灣農業觀察》，[9] 全書 25 萬字，洋洋灑灑，以 2005 年白米炸彈客楊儒門（1978-）的故事為軸線，從 50 年代起，詳細記載台灣各種農業改革帶來的後遺症與農民的生活困境，書中的一段話（頁 11），也許可以交待她對農村土地與農民的感受及關懷：

---

[9] 吳音寧（2007）。《江湖在哪裡？——台灣農業觀察》。台北：印刻文學。吳音寧在 2018 年地方選舉民進黨大敗後，於 11 月 29 日被北農董事會解職。

　　糧商在乎土地嗎？在乎作物嗎？在乎有人餓了，天天餓著，卻買不起進口的食物嗎？政府官員呢？資本家、企業家呢？島中之人是否都不憂心、不氣憤、不在意，有一天島嶼再也沒有農民、沒有農業、沒有農村文化、沒有土地藉由作物長出的心跳？

她在後記中的結論（頁 455），應是她心路歷程的寫照：

　　因為相連的土地、氣候、作物的根，每個人和每株稻、每棵樹、每隻動物都一樣，需要水、空氣和養分，才能夠體會生命中所有美好與不美好的事。

　　糧食就是生命！而江湖啊，水的流域。

　　這些文字與其它 20 幾萬字的出版，白紙黑字，才不過 11 年，如果柯文哲和新聞記者不曾閱讀過，不妨捧讀再三。吳音寧從參與農運和社運，到坐上足以左右農產品價格的大位，如果她自己也忘了曾經說過的話，不僅是她的悲哀，更是北農與廣大農民的不幸，群起而攻，無妨。

從中共偽政權到中國假新聞　✐ 2018 年 9 月 24 日

　　不管是什麼原因或形式，任何台灣外交官在國外死亡，都是國家、家人和朋友，甚至廣大的人民，難以忍受的重大損失和悲哀，再多官方的不捨與民間的究責全是後見之明，無濟於事。台灣駐日本大阪辦事處處長蘇啟誠（1957-2018）於 2018 年 9 月 14 日輕生，就是相當令人扼腕與無奈的不幸事件。

　　逝者已矣，來者猶可追。蔡英文（1956-）政府如果因為蘇啟誠自殺事件與中國假新聞糾纏不清，而設法利用相關法規或操作，防堵與打擊假新聞，例如行政院較早在 2018 年 5 月 10 日成立的「即時新聞澄清專區」，不免矯枉過正，見樹不見林。

　　第一，歷史經驗與實證研究都證明，即使在民主國家，包括美國和台灣，政府往往是偽新聞或假新聞的來源之一，手段不外以不具名官員（如政府高層）私下放出試探性的消息給一些特定記者，透過流傳與討論，查看社會風向，再決定下一步行動。

　　萬一反應不如預期，相關部會可以出面否認新聞報導（所謂天下本無事，庸人自擾之）；一旦叫好聲不斷，當政者通常會順水推舟，以回應民意推動政策，從而攬功自居。民粹和民主相互為用，又玩弄民意，[10]不過如此。

　　第二，「即時新聞澄清專區」再如何即時與澄清，一個不容否認的事實是，官方查證的腳步永遠趕不上有意製造假新聞的人，特別是由中國政府、中共或在台灣的附隨政黨、媒體與團體等代理人主導的操作。

　　從發生到被澄清期間，不管時間長短，假新聞的傷害可能已經造成。我們很難想像，在社交媒體、名嘴與個人傳播和資訊工具當道的台

---

[10] 有關民主、民意與民粹的分野，見張讚國（2016）。《民主、民意與民粹：中港台觀察與批判》。香港：香港城市大學出版社。

灣社會，那些關心新聞與意見的人，會在接觸一個即時事件時，立刻上網到專區核對是否假新聞，「即時新聞澄清專區」緩不濟急，不免聊備一格，無關痛癢。

第三，蔡英文 2018 年 9 月 20 日接見華府智庫「大西洋理事會」訪問團時，呼籲國際社會對中國散播假新聞提高警覺。她的場面話聽起來似乎擲地有聲，實際上卻是避重就輕，在一個新聞事件的熱頭上，應付了事，敷衍一番。對抗假新聞，用不著總統出面；名不正，言不順，才是台灣的國際難題。

坦白說，蔡英文的表現不是國家元首應有的擔當。不論對內或對外，她似乎不具歷史視野（她不在乎兩岸關係的歷史糾結），又提不出明確的願景（她到底要把台灣帶往何處？），有關台灣的國際定位更曖昧不清（她對台灣的國際假名 Chinese Taipei 從不公開計較）。上行下效，也難怪在國際關係上，台北市長柯文哲對台灣的主體性避之唯恐不及。

身為總統，蔡英文固然不必巨細無遺的擔負所有政治與道德責任，依德國社會學家韋伯（1864-1920）所說的信仰倫理（ethics of conviction）與責任倫理（ethics of responsibility），[11]卻必須在兩岸關係上，公開釐清，並宣示中國與台灣目前的遊戲規則和未來的互動規格。

蔡英文的正式頭銜是「中華民國總統」，此外無它。她在訪問中華民國所剩不多的友邦時，簽名落款固然不時以「台灣總統」自居，實際上毫無意義。「台灣」跟這些國家根本沒有任何邦交，短期內也看不出她有多大能耐，以台灣名義，在國際上為一個「非中華民國」的國家，打出一條生路。她堅持維持現狀，維持的不過是自以為是的假象，讓她得以躲在「中華民國」的符號背後，幻想以「台灣總統」身分，指點兩岸江山與國際局勢。

---

[11] 見 H. H. Gerth & C. Wright Mills (eds.). (1948). *From Max Weber: Essays in sociology*. London: Routledge & Kegan Paul.

蔡英文必須面對的殘酷現實是，她的總統府是蔣介石（1887-1975）與蔣經國（1910-1988）父子坐鎮幾十年的總統府，孫中山（1866-1925）的遺像還高掛在總統府內。蔣介石的總統府則可以追溯到中國南京的總統府（這已是南京的一個歷史景點），蔡英文無意公開宣稱的「中華民國」國號，更可一路追蹤到中國廣州黃花崗 72 烈士的墓碑上，以及其它地區跟「中華民國」有關的歷史文物和遺跡。

這些都有案可查，如假包換。辨別假新聞的一個基本原則是，新聞中所提到的事件，不論人為或自然，是否真的發生，可以查證：何時、何地、何事或何人，或者四者兼具，至於為什麼發生則是另外一回事。人事物無中生有，或者無從查考，自然是捏造的假事件，新聞也就不可能是真實的故事。

就新聞報導來說，事實查證的根本職責毫無疑問的落在第一線記者與第二線編輯的身上。美國《紐約時報》對可能引起爭議的新聞，要求記者至少提供兩個獨立消息來源，交叉驗證，而非只憑單一線索。理由無它，不同的人談相同的事，事件的確發生，便可靠得多，新聞被操弄的可能性也相對減低。

由於缺少資源和管道，我們不能指望一般人在核對新聞事實方面，跟新聞記者一樣，各顯神通。這並不表示普羅大眾只能任憑偽新聞或假新聞宰割，一個自我防衞的方法是批判精神：超然（跳脫黨派或藍綠色彩）、質疑（不照單全收）與追根究柢（透過不同來源互相比對是非）。

人都有立場，事都有角度（包括這篇文章）。從事件的發生與否，看假新聞與兩岸關係，台灣朝野應該獲得一些啟示，尤其是以所謂的「九二共識，一中各表」矇蔽自己的中國國民黨。一山不容二虎，中國既然只有一個，又如何可能有兩個互相排斥的國號？

從 1949 年被毛澤東（1893-1976）打敗逃到台灣，到 1975 年去逝，在蔣介石眼中，中華人民共和國無疑是個「偽政權」，卻難說是假政權。畢竟，中華人民共和國出現在他曾經統治過的神州大地，中國變天，是個不爭的事實。2011 年，中華人民共和國出版一套《中華民國史》（1912-

1949），蓋棺論定，進一步在白紙黑字間，宣告一個朝代的結束。

　　風水輪流轉，在北京政府看來，不管是海峽兩岸或國際關係，相對於中華人民共和國，在台灣的「中華民國」不足以代表中國（部分如何以整體自居？），自然是「假政權」，不除不快。最近幾年，後者的邦交國日漸被前者收編或收買，實屬必然，並不意外。中華民國淪落到沒有一個邦交國，大概是遲早的事。到時候，「中華民國」何以自存？

　　在對外關係方面，中華民國之失，不必然會是台灣之得，「台灣民國」不會應運而生，只要「中華民國」的國號一息尚存，台灣將被迫以不倫不類的「Chinese Taipei」（中國的台北）名目，在世界各國面前，直接承認台灣是中國的一部分。中國對台灣人民開放居住證（美國有綠卡，我們不妨稱中國的為紅卡），自是水到渠成。

　　除了譴責外，台北似乎只能讓北京上下其手，蔡英文又如何妄想以總統之尊與習近平（1953-）主席平起平坐？屈膝奉承習近平的馬英九（1950-）總統頂多取得馬先生的稱呼，蔡女士大致相去不遠。

　　這中間的轉折，牽涉太多偽政權與假新聞的交互作用。孰真孰假，恐怕難以一時澄清。

柯文哲是務實主義者，還是投機分子？ ✍*2018 年 9 月 29 日*

　　太陽花學運領袖林飛帆（1988-）2018 年 9 月 20 日投書美國《外交家》雜誌（*The Diplomat*）指出，台北市長柯文哲（1959-）以「兩岸一家親」的說法，順應中國的「一中」政策，為北京滲透台灣提供更多槓桿力道（leverage），也混淆國際社會對台灣的感知（perception）。柯文哲 9 日 23 日回應，他以務實手段處理台灣面對的問題，而非務虛和欺騙。

　　柯文哲的言下之意大概是，在兩岸關係上，林飛帆是個理想主義者（idealist），面對中國的國內進逼與國際打擊，形勢比人強，以台灣的主體性與自主立場對抗，未免不切實際，也不負責任，不像他是個務實主義者（pragmatist），遵循現有規則，與北京為善，避免擦槍走火，從而降低海峽的緊張氣氛。

　　表面上看，柯文哲的說法無懈可擊（務實，便是腳踏實地，有幾分力，就做多少事），更有現實訴求（有誰會不願意海峽兩岸維持和平穩定？），任誰聽了都會首肯。他沒說的是，既然他是個務實主義者，他的政治責任與道德倫理就不應該被質疑，甚至不容挑戰：務實的人，像外科醫生一樣，遵循一套 SOP，怎麼可能會出錯？

　　所謂務實，對柯文哲來說，大致是他常掛在嘴上的 SOP，該怎麼做，就怎麼做，不拖泥帶水，也不天馬行空。在處理兩岸關係方面，隱藏在柯文哲「兩岸一家親」的概念背後，或許是「治大國若烹小鮮」的 SOP，見招拆招，莽撞不得。也難怪，他在回應林飛帆的指控時，會拖蔡英文（1956-）總統下水，責怪政府一邊取消徵兵制，並降低國防經費，又一邊喊台獨。

　　務實主義（pragmatism，有時翻譯成實用主義），是源自 19 世紀末

期美國的一種哲學傳統。[12] 簡單說，務實主義以實用與否和後果來衡量概念及行動的社會應用。在國際關係上，務實主義者的倫理基礎與考量因此在於：任何概念及行動是否會對國家和人民帶來不利效應或傷害。答案如果是肯定的，當政者必須三思而行。

放在中國與台灣的關係上，柯文哲的務實主義便處處避開碰觸北京的底線，也就是在台灣主權和自主地位方面，不刺激中共的敏感神經，「一家」字眼固然不等於「一中」原則，比起民進黨的「一邊一國」或「一中一台」，或者中國國民黨的「一中 = 中華民國」，至少可以讓北京阿 Q 式的睜一隻眼閉一隻眼，不在家、國區分上，逼柯文哲就範。他既然主動認了這個家，家有家規，國有國法；國，自然在家之上，他進了家門，國不過一步之遙。

畢竟，柯 P 的曖昧態度跳脫不出中國的統一戰線範疇：拉攏台灣內部各種可能的友好勢力，包括統派的媒體、政黨、團體、組織及學者，甚至邊緣的跳樑小丑人物，如已被拆除的彰化碧雲禪寺的魏明仁等，以打擊反對中共的力量，尤其是台獨。柯文哲跟其他對中國和中共心存幻想的人和政客，如果有空，不妨閱讀紐西蘭教授 Anne-Marie Brady（1966-）寫的一篇論文 "Magic Weapons" [13]（「法寶」，見《紐約時報》2018 年 9 月 21 日報導），或許他們可以了解中共的統戰如何運作，恐怕也會發現他們都在前者的操控之中。

政客的話不能照單全收，特別是出自他們自己口中的話語。就算務實如柯 P，我們也必須實際檢驗他的所作所為，看看他到底是一個務實主義者，還是一個投機分子？這兩者之間的分野，有時只是一線之隔，或一念之間。

在政治領域裏，一個辨別投機分子的簡單方法是，政客是否利用自

---

[12] 有關務實主義，見 John Dewey (1925). The Development of American Pragmatism, in J. A. Boydston (ed.) 1981-1990, *The Later Works of John Dewey, 1925-1953*. Carbondale: Southern Illinois University Press.

[13] 原文見 Anne-Marie Brady (April 2018). China in Xi's "New Era": New Zealand and the CCP's "Magic Weapons". *Journal of Democracy*, 29, 68-75.

身力量或地位，並為個人權勢，往往見人說人話，見鬼說鬼話。也就是說，投機政客為獲取個人最大利益或達致某種政治目地，因時因地制宜，棄政治責任和倫理道義於不顧，前後或裏外不一致，而有不同的說辭及操作。

從柯文哲在 2017 年台北世界大學運動會的表現看，他是一個務實主義者或是一個不折不扣的投機分子，分辨起來，就不是他說了算的單一命題。我們只要仔細比對柯文哲的中英文閉幕式致詞，就不難察覺他已經被中國的壓力馴服。他的中文致詞提到 11 次「台灣」，英文版本卻只有一個地理名詞 northern Taiwan（北台灣，而非完整的台灣）。

換句話說，因為內外有別，柯文哲的政治盤算也就差別很大。他以「台灣」的用語討好國內對「中華台北」（其實是中國的台北）的不滿；對外，他用「我們」或台北輕輕帶過，即使中文提到「2300 萬台灣人民」，在英文裏，從頭到尾，卻看不到台灣或台灣人的稱呼和尊嚴。[14]

他顯然呼應了國際大學運動總會會長 Oleg Matytsin（1964-）的話語，後者根本不提台灣或台灣人民。在自己的國土上，柯文哲畏首畏尾，投鼠忌器，這是務實，還是投機？類似的例子，俯拾皆是。由這個角度看，柯文哲缺的是政治人物應有的信仰倫理與責任倫理（雖泰山崩於前，猶面不改色）。

在政治上，務實主義者就一定不會出錯，毫無可議之處？曾經是中國最高領導人的鄧小平（1904-1997）在去世前後，不論是新聞界或學術界，西方都認為他是一個務實主義者，甚至是經濟改革和對外開放的一個新自由主義者。他的務實理論很簡單，不管白貓黑貓，捉到老鼠就是好貓。可是，除了中共和中國人外，很少人會否認鄧小平是個獨夫與屠夫，手上沾滿六四天安門屠城的鮮血。

柯文哲當然不是鄧小平，不幸的是，他的「兩岸一家親」無疑包括了後者的神主牌。

---

[14] 以上兩個段落改寫自「中華台北市長——被馴服的柯文哲」。

柯文哲是誰的政治商品？　✐*2018 年 10 月 25 日*

　　台北市長柯文哲（1959-）2018 年 10 月 17 日接受美國彭博新聞社（Bloomberg News）專訪時表示，台灣在美國和中國之間的對抗，不過是架上的一個商品，不能高估自己，也必須設法提升本身的價值。這番「台灣商品」論大概讓許多人，特別是藍綠雙方，買不下手，挑三揀四，叫罵不斷。

　　其實，柯文哲的觀點亦對亦錯，快人快語，也沒有太多新意。表面上，他把複雜的三邊國際關係簡化為貿易問題，台灣頂多是美中雙方一手交錢一手交貨的物品。深一層看，他的話語只是逞一時口舌之快，缺乏一種民胞物與的胸懷。

　　仔細推敲，柯文哲的邏輯並非他自詡的嚴謹。台灣人常說，雞卵密密，也有縫。柯 P 宣稱智商高達 157，邏輯既然好，總不該不理解，前事不忘後事之師的道理。他卻一再胡言白目，戲弄別人的自主生活經驗（例如台灣女人不化妝上街會嚇死人），話語極盡物化，還以「誠實」掩飾自己的男性沙文主義（女為悅己者容，至少得讓柯文哲看得順眼）。

　　柯文哲的「台灣商品」論大致不差，因為在中國與美國的博弈或交易中，台灣確是一筆價值不菲的不動產。從北京的立場估算，台灣是中國大一統天下不可分割的最後一塊拼圖（所謂自古以來的「神聖領土」，儘管事實未必經得起檢驗），再貴，都得納入神州版圖，更何況台北沒有討價還價的餘地。

　　由美國的角度衡量，台灣是圍堵中國霸權向外擴充的第一線——一個島鏈關鍵（不沉的航空母艦），正對北京咽喉，份量十足，即使台北的戰略價值不易拿捏，多少不能少了這塊拼圖。不然，《台灣關係法》形同虛設，華盛頓恐怕也很難有效維持太平洋地區的安全和台灣海峽的穩定。

柯文哲的「台灣商品」論有點離譜，因為他只看到有形的不動產，忽略了無形的動產。台灣不僅是一個地理名詞，更是 2300 多萬人安身立命的家園。生命無價，台灣人的祖厝也不是政治人物貼上「售」字，便可上架的貨品。當過外科醫生的柯 P 或許太過於務實，把台灣看做是手術台上被麻醉過的重症病人，毫無知覺，任人擺佈。唯物到極點，他往往缺乏對台灣人民當家做主的關懷與執著。

跟其他政客一樣，在柯文哲眼中，台灣不過是個可以隨意貼上價格標籤的物品，針對不同買家，聽憑叫價，就地還錢。不論是中華民國、中華台北、中華民國台灣或台灣，每個價碼不同，有時政客自抬身價，弄到有行無市（中國國民黨的「一中 ＝ 中華民國」招牌），或價格起伏不定（民進黨的「台灣國」）。

面對中共這個奧客買家（堅稱國、民兩黨都貨不對價），柯文哲顯得毫無招架之力，讓對方漫天殺價，節節敗退，最後落到妾身未明的地步，以「兩岸一家親」的含糊交易，賤價出售台灣，連原產地的標記都省了。

在中國與美國的較勁之間，柯文哲看到的台灣只是一個商品，而非主權獨立又有自主性的國家。依他的邏輯延伸，在 2018 年的台灣政壇上，尤其是牽涉海峽兩岸生活制度的安排和取捨，柯文哲到底是誰的政治商品？

從過去的選舉經驗和操作看，不管是美國或台灣，民主國家在選舉時，一個基本特色是，任何候選人都是一個不折不扣的政治商品，透過聲像圖文的各種包裝，在公共空間或大眾傳播媒介，向選民兜售或販賣自己。[15] 柯文哲也不例外，在意見的自由市場裏，他是誰的政治商品，誰主浮沉，可以從幾個面向檢驗，代價各異。

---

[15] 有關政客、媒體與政治商品之間的關係，見 Dallas W. Smythe & Thomas Guback (1994). *Counterclockwise: Perspectives on communication*. Boulder, CO: Westview Press.

脫下白袍，放下教鞭，再闖入政壇後，柯文哲無疑是個政治商品；貨，或許真；價，則未必實。擺在不同架子上，「柯文哲」這三個字已經不再是他個人的名稱，而是一種符號（所謂的白色力量）、一個替代選擇（藍綠之外的第三勢力）、一道跨越海峽的橋樑（中共可以接受的非建制台灣政客），或是一個槓桿（中國介入台灣政局的切入口）。標籤有別，價值就有落差。

柯文哲主張，他的品牌具有前三種價值，符合台灣目前的政治局勢和未來演變，第四種不過是藍綠惡鬥下的政治抹紅（「朕」怎麼可能被矇蔽，包括葉克膜的使用和誤用）。柯文哲在不同場合，利用不同說辭推銷自己，以天縱英才（世界級醫療專家）睥睨群倫與蒼生，這是政治人物一種無可救藥的自戀演出。老王賣瓜，我們還能期望什麼童叟無欺？

每一個成功男人的背後，都有一個偉大的女人，反之則未必。柯文哲棄醫從政，並非前無古人，他在台灣政壇上取得一席之地，而且後勢看漲，有相當部分應該歸功於妻子陳佩琪（1961-）。陳佩琪之為用，得理不饒人，除了幫柯文哲在後台疑難解惑，更在前台上充當超級推銷員，替他合理化大小作為（包括柯氏的白目鬧劇），或找下台階。換句話說，柯文哲是陳佩琪的一個商品，買一送一，甚至強迫推銷。

對於柯P這個商品，陳佩琪愛恨分明。愛屋及烏，她不容許，更不容忍別人輕視、打擊或汙衊他的品牌和品質。只要侵犯到枕邊人的尊嚴或對他能力和失言的質疑，她不惜利用臉書或其它公開場合，撻伐異己，不遺餘力。兩個醫生的腦袋、見識和才幹加起來，一般凡夫俗子顯然難以輕易置喙。陳佩琪與柯文哲相濡以沫，在台灣政壇上少見，福兮禍兮，大概只有陳水扁（1950-）和吳淑珍（1952-）的例子可為借鏡。

站在柯文哲背後的，還有另一個女人與她的配偶。天下沒有不是的父母，恐怕也不會有不是的兒女。柯文哲的成就固然是個人的努力，但也有柯媽柯爸的調教。柯P開口閉口媽媽，動不動回家請教開示，讓兩老在市井間走路有風，講起話來咄咄逼人。他們把柯P當做完美商品四

處叫賣,並不意外。瘌痢頭的兒子總是自家的好,更何況聰明如柯文哲,政壇上的極品。柯媽柯爸為自家產品奔走,自然推出原廠證書,也許還保固四年,甚至更久。

有一段時期,柯文哲以墨綠自居,曾經是民進黨推荐的特價優惠品。也許是供不應求,他的身價竟然節節上漲,一路狂飆,加上蔡英文(1956-)總統的股價指數跌跌不休,柯 P 頗有功高鎮主、取而代之的氣勢。四年下來,柯文哲的身價顯然已超出民進黨願意買單的範圍,長痛不如短痛,分手是遲早的事,以免被他吃人夠夠,整碗捧去,弄得血本無歸。

政治商品的買賣大體上是一種零和遊戲,當民進黨出清存貨,不再跟柯文哲進行檯面上的交易,在中共看來,顯然機不可失,進場攪局,炒作一番,說不定開出紅盤。中國中央電視台中文國際頻道於 2018 年 8 月 17 日與 21 日,分別以 2 分 25 秒和 1 分 37 秒的長度,報導柯文哲的崛起與 2020 年的柯宋聯盟的政治行情,極盡吹捧(「台灣地區領導人」)。

對任何政治人物,4 分鐘的電視新聞是個難得的曝光機會,更別提免費塑造形象的社會效應,簡直可遇不可求。央視是中共的傳聲筒,柯 P 被重視的程度直逼黨國大員的地位。一般來說,只要市場上的商品包裝沒有註明原產國,東西是中國出產的可能性就很高。中國為什麼公開認可柯 P 是台灣奇貨可居的期貨,又高調跨海推介柯股,就相當耐人尋味了。

柯文哲既是政治商品,他的使用與交易價值如何,就不能是他自己說了算,消費者必須打點折扣。有關陳佩琪和柯媽柯爸的置入式行銷,也不能來者不拒,總得超然與質疑,打破藍綠或柯粉柯黑先入為主的盲點,貨比三家,才能排除最大風險,避免被套牢,進退兩難。

在台灣,柯文哲被中共背書,他的商品出現中國山寨的嫌疑,萬一退不了貨,便茲事體大,推到極致,台灣人難免傾家蕩產。

如果是你，切勿投票　　✐ 2018 年 11 月 15 日

　　政治思想家 Hannah Arendt（1906-1975）在 1951 年出版的《極權主義的起源》[16] 中，最引人深思的一個論點是，蘇聯意識形態堅決剷除公民分辨真相與謊言（truth and fiction）的能力，並恐嚇（terrorizing）他們屈服於國家機器之下。

　　台灣當然不是前蘇聯，更不像中國曾是它的附庸。蘇聯的共產極權體系於 1991 年崩潰後快 20 年了，台灣在 1987 年戒嚴解除與 1996 年總統民選後，民主自由的體制早已根深柢固。蘇聯與台灣固然難以相提並論，即使是中國，在政治參與（如選舉和公投）與言論自由（如統獨話語）方面，也無法跟台灣等量齊觀，兩者差異有如天壤之別。

　　不過，在目前九合一選舉是非不分的情況下，拿掉蘇聯意識形態部分，Arendt 的觀點其實也可以用來解釋台灣的政治惡鬥與統獨之爭，特別是牽涉個人自由（individual freedom）與公眾自由（public liberty）的糾纏，許多人分辨真相與謊言的能力恐怕大有問題。

　　化學家與科學哲學家 Michael Polanyi（1891-1976）在 1958 年出版的《個人知識》[17] 中，同意 Arendt 的看法，更主張一個自由民主的社會，在個人自由和公眾自由之間必須取得平衡，偏執一方，推到極致，難免兩者俱失，導致極權主義。

　　台灣人的自由民主受到憲法的保障，實際操作起來，上自總統，下至升斗小民，個人的政治權利與言論都不受國家機器的非法和無理干涉。不過，如果以下的任何情況符合你目前的心境，或者你心有戚戚焉，2018 年 11 月 24 日，請千萬不要投票。

---

[16] 這本書已經發行不少版本，見 Hanna Arendt (2017). *The origins of totalitarianism.* London: Penguin Books Ltd.

[17] Michael Polanyi (1962). *Personal knowledge: Towards a post-critical philosophy.* Chicago: The University of Chicago Press.

前總統馬英九（1950-）在任內堅持「不統、不獨、不武」，最近提出「不排斥統一，不支持台獨，不使用武力」新三不。他急劇轉變，不管是否露出馬腳，也是個人自由的言論表達，盡可大放厥辭。

不幸的是，馬英九運用個人自由的後果，終將傷害台灣人民當家做主的公眾自由。如果你發覺馬英九說出了你的心意，懷抱統一在望，切勿投票，因為你選出的候選人恐怕會助紂為虐，你還推波助瀾，冷血無感。

當過兵的人，尤其是在台灣解除戒嚴之前，多少都聽過或唱過「夜襲」這首軍歌。在當年反共抗俄的意識形態下，不少軍人大概都會在雄壯的旋律、英勇的歌詞中，多少感到雄起起氣昂昂，不惜與敵人一拼死活。

遺憾的是，韓國瑜（1957-）「夜襲」的對象不再是「萬惡的共匪」，而是台灣的自由民主。如果你認為韓國瑜唱出了你的心聲，滿腔充塞熱血，切勿投票，因為你支持的政黨正在跟中共眉來眼去，你將是摧殘台灣獨立自主的幫凶。

政黨可以利用顏色區隔，但是民主雖然沒有顏色，卻不能黑白不分，政客面對國家大義，更不該躲在灰色地帶，見風轉舵，為個人自由犧牲公眾自由。台北市長柯文哲（1959-）「兩岸一家親」的含糊說辭，是個典型。

可悲的是，柯文哲為個人政治利益和前途，肆意討好虎視眈眈的中國，置台灣主權與台灣人民的自主地位於不顧。如果你覺得投機取巧的柯文哲不可批判（包括本文），切勿投票，因為你的不理性將助長無理政客斷送台灣的未來。

憲法條文保障自由，屬於集體的公眾層面，但不意謂個人自由就不受干擾。中國的憲法也保障人民的各種自由，只是形同虛設，在操作上，中共的意志與黨益高於一切。簡單說，中國人沒有公眾自由，個人自由也蕩然無存。

如果你相信經濟與物質的強大，足以掩蓋中國在政治上個人自由與

公眾自由俱缺的事實，或者你相信台灣的自由民主不能當飯吃，切勿投票，因為你選出的候選人將不把人當人，而只是吃喝玩樂的動物。

　　針對個人自由和公眾自由之間的關係，美國諾貝爾經濟學得主 Milton Friedman（1912-2006）在《資本主義與自由》（1962）中的一段話，值得我們思之再三：一個自由社會的最起碼特徵是，個人可以公開提倡與宣傳某種社會結構的激進改變（如中共統一台灣），就算自己最終可能因現有政治制度被取代，而喪失自由。

　　如果你覺得台灣不過是一塊土地，即使摧毀 2300 萬台灣人的自由民主也在所不惜，切勿投票，因為政壇上的跳樑小丑已多如過江之鯽，你的一票將加速島嶼的沉淪。

中國，的確少一點　　✐2018 年 11 月 23 日

　　紀錄片導演傅榆（1982-）在 2018 年 11 月 17 日第 55 屆金馬獎引起統獨話語之爭，癥結不在台灣，而在中國。前者可以容忍五星旗在台北招搖過市，視若無睹，不當一回事；後者卻聞台獨而色變，如喪考妣，呼天搶地。兩相比較，中國的確差一點，少了民「主」的那一點。

　　畢竟，台灣是言論自由的小國，誰都可以在任何場合放言高論，包括以上國姿態君臨台北的幾個中國演員，他們不會因得罪台灣當局而身陷囹圄。中國則是言論定於一尊的大國，這些中國演員離開台灣，回到自己的國家後，言論自由立即大打折扣，大概連不說話都不行，最好說些台灣人心向「祖國」的諂媚話，不管是否合乎事實。

　　一個不可否認的事實是，人在中國，身不由己。當中國演員，還有一些在中國工作的台灣演員，於微博上爭先恐後貼出或轉貼「中國，一點都不能少」的圖文時，學者和專家實在不必苛責，更不必拿出國格打壓人格。這是中國集體思維的必然後果，更是魯迅（1881-1936）在《阿Q 正傳》中所預期的現象：中國人欺軟怕硬，盡在言語上逞強，以自瀆為樂。

　　集體思維，簡單說，是一言堂社會化過程的產物，毛病在於缺少創造力和想像力，大家一起唯唯諾諾。在中國集體思維的宰制下，與共產黨相左的另類觀點或視野遂都是異端邪說，不除不快。面對集體思維的高壓進逼，阿Q 心態是種可悲的自我防衛機制，拿「他者」出氣，掩飾「我者」的無知、無能與無恥，又經不起推敲。

　　「中國，一點都不能少」，從貼出的中國地圖看，或許不假，台灣一個小點緊挨著中國龐大的海岸線。仔細想想，除了阿Q 外，這句話一點都不值得當真。只要稍有常識與知識，誰都知道，地圖不等於實景，頂多是個理論。理論一旦與現實脫節，就算再說得冠冕堂皇，根本一無是

處。

出席金馬獎的中國演員拿的自然是中華人民共和國護照，儘管他們手中的中國地圖包含台灣，那一小點其實是阿 Q 的投射想像和假象。事實是，中國的有效領土就是沒有台灣這一塊土地，中國人想到台灣走一趟，如果沒有中華民國內政部相關單位核准，顯然無法像廣東到湖南或其它省分一樣，來去自如。亦即，台灣有自己的主權與自主地位，無關中國喜不喜歡。

不管承認與否，中國和台灣往來之間，終究是國境的跨越與國家認同的歸屬。國家認同或歸屬，不僅是概念，也是操作，兩者都牽涉相當複雜的結構體系。依據 Benedict Anderson（1936-2015）在《想像的共同體：民族主義的起源與擴散思考》[18]（1983）的論點，國家的想像是一種心理建構，受到地緣、歷史、社會、政治、文化與語言使用等因素的長遠影響，並非一蹴可幾，更難以摧毀於旦夕。

對大多數台灣人來說，不論在心理或地緣上，國家的定義與認同只及於台澎金馬，不多不少，飛越台灣海峽後，就是另一個國家的開始，西出陽關無故人。中國以一張台胞證界定進出中國土地的台灣人身分，暗示「兩岸一家親」，不過是捉襟見肘的阿 Q 手段，未必能改變台灣人的國家認同與心靈歸宿。

一個簡單的驗證數據是，過去 30 年來，兩岸的民間互動大致頻繁，幾十萬台商還長住中國，但是自願成為中華人民共和國公民的人數可能不會太多。一個心照不宣的理由是，他們跟 14 億中國人民沒什麼兩樣，言行舉止都得看共產黨的臉色，如履薄冰。回到台灣後，他們卻是自由人，在自由民主的環境下，多少當家做主，免於恐懼。

換句話說，民主，在台灣一點都不少，在中國，硬是缺了一點。民主，少一點，就是民王，再去除民字，便非王莫屬。所謂王者，一言以蔽之，普天之下，盡為吾土吾民。逆我者，或以暴力殺無赦（如六四屠

[18] Benedict Anderson (1983). *Imagined communities: Reflections on the origin and spread of nationalism*. New York: Verso.

城），或在口語和網路上趕盡殺絕（如「中國台灣」的文字霸凌）。龍生龍，鳳生鳳，阿 Q 的後代阿 Q 一番，就不足為奇了。

從理論到實際，中國的確少一點。不過，中國真正少的，並非地圖上台灣這個彈丸之地，而是「民主」的主字上那一點。中共有 9000 萬黨員，一黨獨大，中國集 14 億人口，窮盡洪荒之力，竟然連一個小點都不可多得，從上到下，民王橫行，成就了幾世代的阿 Q，代代相傳。

民王當道，民主便是奢求。在中國，中共騎在人民頭上，長手無所不在，中國人民即使到了國外，恐怕也還拖著一個無形的鎖鏈，依然身不由己。

如果蔡英文敗選 　✐*2020 年 1 月 16 日*

任何選舉都是一種零和遊戲，特別是只取一瓢的局面。除非同額選舉，輸贏是一體的兩面，有輸，就有贏，沒有皆大歡喜的雙贏可能。民主政治固然是一種公平的理性競爭，各憑本事，過程卻往往相當殘酷，盡在你死我活，無情厮殺。

台灣的選舉也符合政治博弈的定律，在 2020 年總統大選中，民主進步黨的蔡英文（1956-）總統贏得過半數（57.1%）的 817 萬票，中國國民黨候選人高雄市長韓國瑜（1957-）註定要輸得灰頭土臉，552 萬票（38.6%）算是勉強維持了一點顏面。兩人的差距不光是數字大小，除了個人勝敗的心理創傷，更有社會意義。

不論是台灣或其他民主國家，選舉政治的現實是，只見新人笑，不見舊人哭。古往今來，成王敗寇，永遠是顛撲不破的歷史教訓。

從不同角度看，以成敗論英雄，是經濟學與心理學研究中一個「認證偏差」（confirmation bias）假設的預期後果。所謂認證偏差，依美國 2017 年諾貝爾經濟學獎得主 Richard H. Thaler（1945-）在 *Misbehaving*（2015）書中的討論，[19] 指的是人們有一個尋求證實（有利證據）、而非反駁（不利證據）的自然傾向。在日常生活裏，這個傾向通常以選擇性的證據支撐自己的信仰（如同婚傷天害理的保守心態），或解讀符合己意的社會現象（如「黑韓產業鏈」）。

在 2020 年總統選舉底定後，民進黨與國民黨雙方支持者的反應，以及學者、記者和專家的成敗分析，都多少顯示認證偏差的傾向。一方面，牆倒眾人推，以欲加之罪，痛打落水狗（韓國瑜、吳敦義與國民黨）；另一反面，一人得道雞犬升天，仗持人民授權（mandate），趾高氣

---

[19]　見 Richard H. Thaler (2015). *Misbehaving: The making of behavioural economics.* UK: Penguin.

揚，不可一世（蔡英文、陳柏惟與民進黨）。

　　月子彎彎照九州，我們不妨想像，並思考 2020 年總統選舉的另一個可能結局（宋楚瑜無足輕重）：韓國瑜以劉家昌（1943-）預估的 800 萬票勝出，現任總統蔡英文兵敗如山倒。

　　在我贏妳輸的冷酷現實下，目前彌漫於社會中的喜氣與愁容，勢必變臉（國民黨笑，民進黨哭），從地方到中央，邀功和究責的聲浪，也必然變調（吳敦義領軍有方，卓榮泰頭號戰犯）。兩位當事人的身價搖身一變，韓國瑜自然是眾星拱月（政治奇才果然不假），蔡英文無疑是菜包一個（空心菜誠然無誤）。

　　如果蔡英文敗選，她會如何被放到顯微鏡底下檢驗，意涵又是什麼？

　　這個問題可以從個人、組織、社會與兩岸關係四個層面來探討。每一個層面都找得出人證和物證，用來佐證在競選期間，韓國瑜和國民黨對蔡英文與民進黨所做的嚴厲指控，證據確鑿，毫不含糊。

　　從個人層面看，蔡英文是一個不折不扣的菜包。即使是面對面，除了看稿發言，她的臨場能力與應變機智不足，從談話的抑揚頓挫到內容，尤其是說「好不好」，聽起來一點都不夠真誠，難以振聾啟聵，更別提要感人肺腑了。

　　蔡英文於 2019 年 7 月間說過，她的專長是「做總統」，就算是不經意的一句玩笑話，也顯得既膚淺又傲慢（君無戲言）。沒有任何人的專長是做總統，她的頭銜來自人民的授權和託付，無關專門學問或技能。沒有幾百萬選民的多數支持，想進總統府坐上大位，不免貽笑大方。就算蔡英文在求職履歷表中的專長列出「做總統」一項，恐怕也不得其門而入。

　　不當總統，蔡英文到底能做什麼？在新聞報導中，她被稱為是談判專家，善於折衝，可是，在與台灣人民溝通時，誰也摸不清她的底細。她當過大學教授，一個博士學位的真假辯證，竟然可以鬧得滿城風雨，弄到正反雙方信者恆信，說服不了對方，至少 175 人組成的「華人博士

團」擺開陣勢，打死也不信。

蔡英文敗選，不過證實選民對她的誠信與拖泥帶水作風的懷疑。騙子被起底，終至被唾棄，誰曰不宜。

就組織層面來說，蔡英文敗選，見證民進黨的貪腐、抹黑與爾虞我詐，被人民看破手腳。民進黨這個集團最早以盤根錯節的派系起家，蔡英文半路殺出，何德何能，根本不是「政治奇才」韓國瑜的可敬對手，而是可欺的獨婦（獨裁的黨主席與女總統）。

整個因果可以一路推到她與前行政院長賴清德（1959-）的初選之爭，一場先有答案，再設計題目的虛擬交鋒。誰會相信 5 個機構的民調數字簡直一模一樣？明眼人都看得出來，蔡賴的競爭頂多是一場精心策劃的政治演出。由賴初選落敗到成為蔡的副手，為的只是不讓韓國瑜和國民黨在新聞版面與電視時段，獨領風騷。

蔡英文敗選，突顯出她是個被民進黨派系綁架或架空的傀儡，德不配位，多少還賴清德一個公道。她能當上一任總統，大致是馬英九（1950-）兩任總統造成的「賭爛」效應，是馬太爛，而非蔡厲害，倒霉的是朱立倫（1961-），時不我予。

由社會層面檢討，蔡英文過去四年的經濟表現不佳，貧富懸殊（鄉野苦人多，肥貓滿街跑），其它政績也乏善可陳，菁英無視庶民，不食人間烟火。

不管是公教年金改革、轉型正義（如國民黨不當黨產的追查）、婚姻平權、非核家園、或一例一休的勞工政策等，蔡英文未經朝野合理協商，就運用各種行政資源，大刀闊斧，透過一黨獨大，在立法院強渡關山，視軍公教、升斗小民與一般家庭為無物，惹得天怒人怨。

蔡英文敗選，證實人民對國家機器被濫用感到厭惡，對缺乏民胞物與的改革覺得心寒，尤其是一例一休帶來的相對剝奪感，以及違法濫權。

在兩岸關係層面，蔡英文領導的民進黨政府對國家的定位曖昧不清，在國際上到處受中國打壓，所勝無幾的邦交國家岌岌可危，又束手

無策。

　　作為總統，蔡英文既然拒絕承認國民黨與中國共產黨所界定的「九二共識」（一個中國），卻不敢在各種選舉造勢場合中擺出中華民國國旗，或公開宣布台灣獨立，只在話語上以中華民國台灣的符號唬弄人民。

　　蔡英文敗選，反應出台灣人民對她處理兩岸關係能力的疑慮，以及她會把「這個國家」帶往何方的焦慮。

　　蔡英文敗選的另一層意義是，大多數人民選擇避免台灣與中國正面對決，特別是走向戰爭邊緣的不回歸路，以免國家陷入萬劫不復的絕地。她的親美路線或許為台灣在短期內買得相當程度的安全保險，長期來說，誰能保證美國不會把台灣當作籌碼或棋子，為美國的政經利益，跟中國討價還價？台灣面對的畢竟是一個龐大的邪惡猛獸，不動如山，隨時想把 2300 萬人民席捲而去。

　　事實勝於如果，蔡英文當然沒有敗選。這些疑問其實並未消失，還存在於 552 萬韓國瑜的選民心中。認證偏差，不會只發生在支持蔡英文的選民身上，反對她的選民也有生存之道。困獸猶鬥，更何況鋼鐵韓粉。

韓國瑜市長不應辭職　✐ 2020 年 2 月 25 日

　　罷免高雄市長韓國瑜（1957-）的第二階段聯署進行得如火如荼，早已跨過最低門檻人數（23 萬），更可能在 2020 年 3 月 28 日截止時，逼近第三階段罷免人數（約 58 萬）。有些學者與專家（如李艷秋、沈富雄）和罷韓團體都公開疾呼，韓國瑜應知所進退，自行辭職，以免賠了夫人（丟了大位），又折兵（勞民傷財）。

　　這種論調見樹不見林，甚至是盲人騎瞎馬。韓國瑜市長如果辭職，只是屈服於民粹，而非對民主低頭。前者，是政治人物的懦弱；後者，則剝奪高雄選民的權利，兩者都不可取。好漢做事，好漢當，韓國瑜必須在信仰倫理（市長受選民托付）和責任倫理（民選官員承擔終極後果）方面，有所為與有所不為。辭職，不過是未戰先降（典型的中國國民黨退將吳斯懷的翻版）。

　　韓國瑜不應辭職，理由歸納起來，不外實際與抽象兩個層面。實際層面，立竿見影。儘管台灣第三大都會區未必臥虎藏龍，韓國瑜到底是高雄市民投票選出的地方首長，一市之長所為何事，全由市民使喚，除非作奸犯科，當事人不能說辭就辭。抽象層面，影響深遠。罷韓，是台灣直接民主的有效驗證，取捨之間，應由選民定奪，虎頭蛇尾，一無是處。

　　從實際操作看，在武漢肺炎疫情持續擴張時（可能超過最快的 5 月罷免投票），高雄市不能群龍（更可能是一堆地頭蛇）無首，韓國瑜就算只是過場演出，戴著口罩，到處現身露臉，總比無人領導，在觀感上讓市民踏實一點（天塌下來有市長頂著），在倫理上也叫市民有所期待與依托（市長共體時艱苦民所苦）。

　　韓國瑜一旦辭職，他所任命的大小政務官就失去正當性與合法性（樹倒，猢猻安在？）。即使過渡的短期內不必與市長共進退，他們在政

策制定和執行上，勢必礙手礙腳，特別是在新任市長就職前後，官位難保。幾個月下來，有人會辭官歸故里，有人漏夜趕科場，反正最後損失的是高雄市民與納稅人的荷包。

人在江湖，身不由己，市長辭職，茲事體大。韓國瑜既然當上市長，去留，已非他個人能隨心所欲。小我，任性無妨（放馬過來，恁爸等你）；大我，兒戲不得（老子不幹了，你奈我何）。罷韓，是目的，而非手段，不然毫無經驗價值。辭職或罷免，結果固然一樣，意義卻大不相同，尤其是在抽象層面。

從抽象角度看，韓國瑜是否應該下台，只能經由整個罷免程序做最終定論，成也高雄市民，敗也高雄市民，學者與專家或其他人獻策無妨，但不能越俎代庖。

仔細探究，罷韓，至少有三個相互糾纏的象徵意義，每一個都足以見證台灣的自由民主和集體智慧是否經得起檢驗：民意與天意的矛盾、民粹與民主的對抗和個人麻煩與社會問題的分辨。不論是哪一個，始作俑者都是韓國瑜本人，怪不得他人。

在 2018 年贏得高雄市長選舉後，韓國瑜執意參選 2020 年總統大選，仗恃的是他自以為是的天意如此，天命難違。在韓國瑜看來，選民支持他當市長，不過是天將降大任（當總統）於他的一個具體指標，一種龍袍加身的體現，無關市民在民進黨市長陳菊（1950-）執政多年後，所凝聚的某種求變心理的期盼和託付（換人做做看）。

從台北農產運銷股份有限公司總經理到高雄市長，韓國瑜的興起如果是天意〔國民黨內無人如斯，權貴階層的金溥聰（1956-），顯然尚未參透〕，89 萬票的民意便是畫龍點睛，罷免運動如何能動他一根汗毛。朕以庶民之身，君臨高雄，韓國瑜俯仰天地，辭職，難免有違天道。罷免，遂是以民意戳破天意，給韓國瑜當頭一棒，誰曰不宜？

韓國瑜不應該辭職的第二個抽象原因是，他打著民粹的旗幟（人人發大財），操弄感性的民主（世上苦民多），一舉翻轉前市長陳菊宰制高雄的局面（「南霸天」無疑是假象，也是神話和笑話）。不管道理何在，

罷韓，自然是種民粹（任何社會運動都是民粹），企圖透過直接民主，推翻 2018 年市長選舉的另一個直接民主的後果。高雄人既然打亂一盤棋局，自己設法收拾，無可厚非。

民粹沒有對錯，只有輕重好壞。民粹也不等於民主，民粹到底是民主的擴張，還是對民主的摧殘，都可以透過罷韓結果，看出端倪。雷聲大，雨點小，或半途而廢，罷韓，不免鬧劇一場，玩弄韓國瑜與高雄市民，更踐踏民主過程。

縱使心向威權體制（當選高雄市長後到香港朝拜中國中聯辦），韓國瑜畢竟是民選市長（不像香港特首是變相的小圈子欽點），他對台灣民主制度的最大貢獻，在於提供了一個區隔民粹與民主對抗的運作途徑和社會效應。韓國瑜急於向北京表態，幾乎把高雄等同香港。他似乎忘了，或者不在乎，高雄市長必須向選民負責，香港特首林鄭月娥（1957-）只向中國國家主席習近平（1953-）叩頭。

台灣的自由民主如果要有實質意義和可遵循的操作規則，罷免就須始終如一。罷韓，是人民的權利，鹿死誰手，目前還難說，可能也不重要，選民投票的機會卻不該因韓國瑜辭職，而被他一人否決掉。這不是人民當家做主，而是獨裁。那些要他辭職的個人與團體簡直不知好歹，只見民粹的高昂（幾十萬人簽名），無視民主的深沉（一票一腳印的生活經驗）。

韓國瑜面對的困境不是個人麻煩（民選職位從來不是一種玩票遊戲，「全看大爺爽不爽」），而是社會問題（89 萬選民不可能都是白癡或無頭蒼蠅）。整體來說，韓國瑜贏得 2018 年市長選舉，跟其它國民黨主政的縣市一樣，是選民對民進黨執政的失望與批判。不幸的是，在勝利後，他立即陷入所有政客共同的致命盲點，不知登泰山，而小天下，反而不可一世，四處指點江山（馬英九是個樣版）。

在 2020 年總統大選，韓國瑜連本帶利的輸個精光。形勢比人強，不到兩年，他從國民黨英雄異變為狗熊，虎落平陽，非戰之罪，而是台灣社會根本無法忍受與容納一個言語猖狂、舉止乖張的無厘頭政客。盜亦

有道，一個欺世盜名的政客如果以辭職做為下台階，也許多少可以宣示自己的政治擔當，卻突顯對直接民主的藐視與對選民權利的欠缺尊重。

　　韓國瑜如果有相當的政治智慧，今天就不會進退維谷。辭職，徒留千古罵名，也早已錯過時機。罷免，恐怕是他唯一的解脫，更何況也許還有一線生機。

王鴻薇：我上了央視耶！　✎ 2020 年 5 月 8 日

　　中國國民黨文傳會副主委、台北市議員王鴻薇（1964-）2020 年 5 月 3 日在中國中央電視台說了一番話，餘波盪漾，跨海惹起一陣塵埃。藍營認為她的用語恰當，不值得大動干戈；綠營覺得她其心可議，不妨興師問罪。藍綠分明，全因她話語場地的泛紅背景。

　　國民黨是商女不知亡國恨（中華民國早已被中華人民共和國取代），民進黨是唯恐天下不亂（中華民國總統就是台灣國總統）。其實，不管支持或反對王鴻薇，藍綠雙方都見樹不見林。鷸蚌相爭，得利的是一海之隔的中國共產黨。

　　王鴻薇不過是一個國民黨黨員與現任台北市議員，她的話語再離譜，就算刺耳，比起前副總統連戰（1936-）或退役陸軍中將、國民黨現任不分區立法委員吳斯懷（1952-）在中國內外的舉止言行，簡直是小巫見大巫。排在她前面的中共代理人不算少，大咖何其多，獵巫？可能還得從頭點名。

　　藍營不以王鴻薇為逆，不免是馬英九（1950-）當總統期間國民黨被中共馴服的必然後果。畢竟，從幾十年前中國的國共內戰後，國民黨何曾是共產黨的交鋒對手。敵人的敵人無疑可當朋友，特別是為了爭奪台灣政權（國民黨早已不提逐鹿中原），國共兩黨可以聯手打擊民進黨與其它台獨側翼。反正有共產黨撐腰，國民黨就可編織海峽兩岸同屬一中的想像。

　　綠營，至少一些政客、專家和名嘴，都直指王鴻薇大逆不道，不該在央視上棄台灣話語，反而使用中國術語，未免吃碗內，看碗外。這是欲加之罪。文字運用，如果只因是中國的平常用詞或官方定調，在台灣就成為禁忌，避之唯恐不及，推到極致，2300 萬台灣人的舉足恐怕會窒礙難行，因為絕大部分的中國人都用雙腳走路。在台灣，如何用字遣

詞，不應該受到中國是否使用的框限，否則我們將難以思考。仔細想想，有哪個台灣國語的字眼不能轉化成中國普通話，反之亦然？

　　儘管唱作俱佳，王鴻薇在央視的演出，不是政治正確，而是既無知，又愚蠢。

　　無知，是因為王鴻薇欠缺常識與知識，不曉得央視在中國共產黨的體制下為何物。2016 年 2 月，中國國家主席習近平（1953-）巡視時，央視公開宣稱「央視姓黨，絕對忠誠，請您檢閱」，肉麻十足。在黨國之下，央視向當權屈膝，王鴻薇居然無知到極點，充當共犯，向霸道低頭。愚蠢，是因為王鴻薇是自由人，卻陷身到一個任人擺布的地步，如傀儡一般。央視姓黨，此黨非彼黨，她又如何擺脫得掉國民黨是共產黨附庸的印記。

　　王鴻薇應受質疑與批判，不是因為她採用了中國慣用的話語（「特朗普」或「川普」不過是音譯差異，無損 Donald Trump 是美國總統的事實），也不在於她稱總統蔡英文（1956-）為「台灣領導人」。作為總統，蔡英文當然是台灣的領導人，不然，還有誰騎在她頭上？央視在畫面上加了台灣地區字樣，倒是司馬昭之心，貶低了蔡英文的份量。借屍還魂，王鴻薇不幸成了中國以上國姿態欺壓台灣的一個渠道。

　　王鴻薇不會是個案，跟她意識型態類似的政治人物、新聞記者與學者和專家，在台灣俯拾皆是。她的麻煩在於，為什麼央視會讓她出現在中國的黨國電視上，直接面對潛在的幾億中國觀眾，又間接訴求於台灣觀眾？重賞之下，必有勇夫，更何況欽點上朝？王鴻薇成為新聞話題，不會是意外，她的話語一再被傳播，自是意料之中。

　　在中國，央視不是一般的電視媒體，而是社會控制的國家機器之一，更是黨國高官的形象設計師，或是打擊／醜化對手的工具。[20] 論觀眾數目與新聞黃金時段的獨占，世界上沒有哪個電視台堪與比擬，能在

---

[20] 見 Tsan-Kuo Chang, with Jian Wang & Yanru Chen (2002). *China's window on the world: TV news, social knowledge and international spectacles*. Cresskill, NJ: Hampton Press.

央視螢幕上露個臉，即使是幾秒鐘，便算是有頭有臉，多少鯉躍龍門。在台灣，多少失意政客與學者為一個央視鏡頭，求之不得，王鴻薇竟然就獨上平台，大放厥詞。

王鴻薇上了央視，不會是因為國民黨文傳會副主委的頭銜，她頂多是黨內的一個中級主管。在國民黨論資排輩的宮廷結構下，比她位高權重的人多的是，恐怕還輪不到她充當國共兩黨的仲介。她在央視粉墨登台，也不會是由於台北市議員的身分，她只是現有 61 席議員（國民黨28 席）之一，並非物以稀為貴。

央視大方的給王鴻薇一席之地，不會没有算計過意圖後果（在前台遵守中國的政治遊戲規則），也不會不預防非意圖後果（在後台抖出內幕讓北京難堪）。央視無疑相當篤定，任何在台灣受邀上節目的人都不會公開或私下跟中國唱反調，最好是跟黨國中央一鼻孔出氣，按本宣科。王鴻薇也的確狐假虎威，大可造就，說不定從此烏鴉飛上枝頭。

當王鴻薇接到邀請時，她的反應大概是受寵若驚（央視耶！），她會說些什麼話，不言可喻，根本也不重要。上了央視，在黨的鏡頭下，她還能是自由人？原形畢露，不過是還她一個被操控傀儡的真面目。

馬英九的終戰／站　✐ *2020 年 8 月 14 日*

前總統馬英九（1950-）當過兵，但沒打過仗。其實，在 1950 年後，出生於台灣的幾百萬人（馬英九生於香港），都沒打過仗，不知戰爭為何物。台灣人一向沒有攻打他人的意念，包括對岸的中國人。

馬英九當了 8 年三軍統帥，但沒帶過兵，更沒打過仗。其實，在 1958 年後，在台灣當過總統的 6 個人。從嚴家淦（1905-1993）、蔣經國（1910-1988）、李登輝（1923-2020）、陳水扁（1950-）、馬英九到蔡英文（1956-），都沒打過仗，不知戰爭為何物。台灣一直沒有侵略他國的企圖，包括對岸的中國。

在 2016 年卸任後，馬英九似乎一直在打仗，打一個人的戰爭，儘管只是象徵性的口水之戰，無役不與。馬英九到底為誰而戰，又為何而戰？

我們不是馬英九，很難了解他內心真正想些什麼。如果社會心理學的歸因理論（attribution theory）[21] 有任何啓示，雖然缺乏直接證據，我們大致可以從馬英九的言行舉止，推斷他會為誰而戰，或者不會為誰而戰。

即使當過主席，馬英九不會為中國國民黨而戰。

過去幾十年，國民黨與中國共產黨眉來眼去，關係曖昧，國共兩黨早已一笑泯恩仇，從當年中國內戰的你死我活，演變成今天隔著海峽的相濡以沫。馬英九所謂的「九二共識，一中各表」，已被中國國家主席習近平（1953-）的「一個中國」公然綁架，他也不計較。在如此交集下，馬英九不戰而降，根本沒有必要為國民黨而戰。國民黨可能也不需要他出戰，免得礙手礙脚。

---

[21] 見 Fritz Heider (1958). *The psychology of interpersonal relations.* New York: Wiley.

　　既然不為國民黨而戰，馬英九更不會為台灣的民主進步黨而戰。

　　從陳水扁興起後，民進黨一向是他的宿敵，避之唯恐不及。不管是想像或實際，在各種內外戰場上，馬英九沒有聯手中共，由前鋒或側翼打擊民進黨，已經算是相當有節制了。假如中國兵臨城下，台灣坐困愁城，則是另外一回事。

　　如果中國出手攻打台灣，台灣人不至於坐以待斃，不過，馬英九不會為台灣人而戰。

　　台灣人民只有 2300 萬人，比起 14 億中國人，算是滄海一粟。民進黨以台灣人的代表自居，堅持台灣人民當家做主，在他看來，民進黨不值得信賴，台灣人民更是盲從。馬英九從來不懂，台灣人的主體性與身分認同，不必靠打仗而來，而是一種自由人的印記。

　　馬英九曾自稱是「新台灣人」，活著是台灣人，死了是台灣鬼。認真想想，他的宣稱恐怕只是 1998 年台北市長選舉時一剎那的感受，特別是前總統與前國民黨主席李登輝拉著他的手那一刻。馬英九也是人，人不全是理性的動物。

　　人善變，政客更是多變。當馬英九以總統之尊，高舉雙手為「九二共識」奔走呼號時，他就不再是台灣人了。在他眼裏，所有台灣人都是不折不扣的中國人，只有笨蛋才會為不存在的台灣人而戰。馬英九並不笨，更何況有哈佛大學的法學博士學位，支持他的學者和專家大有人在。

　　不為台灣人而戰，馬英九吃台灣米，喝台灣水，總可以為台灣這塊滋養他的土地，挺身一戰吧？

　　抱持如此信念的人，不免要失望了。過去幾年，當中國在他的出生地香港為所欲為時，當香港人被中共騎在頭上時，馬英九都顧左右而言它，不吭一聲。台灣頂多是他短暫落腳的彈丸之地，面對侵門踏戶的中國大軍，螳臂當車，無疑自尋煩惱，不知死活。

　　其實，馬英九不會為任何人而戰，只為自己而戰。他到底為何而戰？無它，為了一己的歷史定位。馬英九與習近平於 2015 年 11 月 7 日

在新加坡舉行兩岸高峰會，多少是個起手式，投石問路，至少他天真的以為可以跟習大大平分秋色。

　　馬英九很清楚，他的歷史定位不在台灣，而在中國。他的中華民國總統身分，放在中華人民共和國的框架下，不會只是一個虛名，其附加的歷史價值，無人能敵。兩軍交戰，將軍投靠，比小兵投降，孰輕孰重，不言可喻。

　　就算打遍天下無敵手，一個人的戰爭也沒有打不完的道理，遲早會有個終點。國與國的爭端也一樣，一旦中國訴諸戰爭，企圖解決北京未竟的對台灣領土主張，跨海開打，台灣的終戰，即是馬英九的終站。

　　無論路途遠近，有起點，就有終點。戰爭可長可短，戰火過後，台灣的終戰只有兩種後果，不會存在目前海峽兩岸的灰色空間，西線無戰事。

　　只要台灣生存下來，不論是以中華民國台灣或是台灣的獨立稱號，自由民主的台灣與高壓獨裁的中國，勢必不再牽扯不清。在台灣歷史中，未來史家大概還會記上馬英九一筆，頂多以「歷史罪人」的罵名帶過。三言兩語，對當過總統的人來說，簡直是奇恥大辱，馬英九無法忍受被台灣歷史拋棄的難堪。

　　如果台灣不幸被中國併吞，國既不存，歷史焉在？台灣卻絕對會是中國歷史的一個篇章。在大中國歷史裏，論功行賞，未來史家難免會以「識實務者為俊傑」，替馬英九與其他中國代理人（如退將吳斯懷等）書寫一番，而且篇幅大概不會小。

　　畢竟，從總統到一介平民，馬英九念茲在茲的，不過是中國一統江山的完整。如果夢想實現，他的台灣經歷終究會墊高他在中國歷史中的地位。一個人在台灣的戰爭，換得中國青史留名，馬英九的終戰與終站豈止一箭雙鵰。

「這人」不妨留步：王金平的盤算 *2020 年 9 月 14 日*

中國國家主席習近平（1953-）2016 年巡視中央電視台時，後者公開宣稱「央視姓黨，絕對忠誠，請您檢閱」。台灣如果還有學者與專家認為，央視不過就是一個電視台，跟壹電視沒什麼兩樣，他／她不僅無知，更是愚蠢。[22]

前立法院院長王金平（1941-）2020 年 9 月 20 日將代表中國國民黨，率團參加海峽論壇，中央電視台主持人李紅（1978-）9 月 10 日說，兵凶戰危，這人要來求和。台灣如果還有學者與專家認為，李紅的一番話無關中共立場，他／她豈只無知，尤其愚蠢。

無知，是因為在中國共產黨一黨獨尊的宰制下，普天之下非我黨莫屬，誰與爭鋒。央視的話語代表官方的定調，沒有含糊的餘地。愚蠢，是由於錯把馮京當馬涼，又不知所以然，缺少自知之明。

央視的口氣有夠輕蔑，吃台灣人夠夠，這人到 2020 年 9 月 13 日卻依然不吭一聲，老神在在，似乎在靜觀其變。去與不去海峽論壇的取捨，並非千萬難，舉手之勞而已。去，這人豈只懦弱，更是全盤皆輸，晚節不保。不去，這人展現一身風骨，青史留名。

這人曾經擔任台灣的國會議長多年，幾乎是一人之下，萬人之上。卸下議長頭銜後，這人的政治剩餘價值其實不多，能夠粉墨登場的地方也相當有限，海峽論壇毋寧是他還能顧盼自雄的一方天地，食之無味，棄之可惜。天下沒有不吃腥的貓，更何況一隻肥貓。

在台灣，這人跟其他 2300 萬人一樣，都是自由人。自由人盡可做自由事，包括到對岸作賤自己，特別是在中國設定的一個小戲台，按寫好

---

22 有關央視的結構與操作，見 Tsan-Kuo Chang, with Jian Wang & Yanru Chen (2002). *China's window on the world: TV news, social knowledge and international spectacles*. Cresskill, NJ: Hampton Press.

的劇本，走個過場。這人還沒登陸，就已登上海峽兩岸的新聞版面，鬧得風生水起，對一個過氣的政客來說，簡直是鹹魚翻身，此時不縱身一躍，更待何時？

如果登不了大雅之堂（人民大會堂），無魚，蝦也好，央視搭起的一個平台總聊勝於無，例如國民黨文傳會副主委、台北市議員王鴻薇（1964-）2020 年 5 月 3 日不過在央視上驚鴻一瞥，就已飛上枝頭。即使央視以屈辱的口吻宣示「求和」後，這人猶不知抽身走人，不外是虛名誘惑，愚蠢至極。

這人不會是第一個，更不會是最後一個進京朝貢／共的台灣政客。在這人之前，前副總統連戰（1936-）去過，貴為天安門上賓；退役陸軍中將吳斯懷（1952-）去過，正襟危坐，聽習近平訓話。從連戰到吳斯懷，不管大咖或小咖，更多的人去過，名利雙收。這人再愚蠢，也不會看不出其中的眉角。政客不為名利，天誅地滅。

對中國來說，這人多少帶有國民黨本土派的色彩，還有些利用價值。至少，這人在行前見過台灣總統／領導人蔡英文，可以營造一點地方政府跟中央政府暗度陳倉的假象，一石二鳥，順便拖民主進步黨下水。去，這人的愚蠢便在於提供中共一個以上對下的工具，而不自知。政客無知，莫此為甚。

這人在政壇打滾了幾十年，没有知識，也應該有常識。不論海峽論壇的實際效應如何，在象徵上，國民黨每參加一次，就加添中國對台灣管轄權力的一分正當性與合法性，順便打擊民進黨的兩岸政策。

理由無它，這不會是黨對黨的會談，而是中央對地方的政治安排。「求和」，只有在力量不均等或你大我小的局面下，才有操作空間。即使進了京城，這人想以前國會議長之尊的身分，與國家主席平起平坐，未免太天真。

就算央視道歉，甚至改變或撤回「求和」說，這人也不應去，國民黨更不該為這人背書。箭在弦上，國民黨想要勸退這人不要參加海峽論壇，除了阿 Q 外，恐怕也昏庸無能。去與不去，已經沒有可以討價還價

的餘地。傷害都已造成，這人還待價而沽。

這人與其到中國「求和」，落得惡名昭彰，不如留此一步，為台灣守住一點獨立自主的骨氣。

盧秀燕既無知又無理更無恥　✐ 2020 年 12 月 19 日

作為六都首長之一，台中市長盧秀燕（1961-）在與美國在台協會（AIT）處長酈英傑 2020 年 12 月 16 日的拜會過程中，節外生枝，把一件原本相當平常的地方事，多少鬧成台灣與美國之間的紛爭。從言行到舉止，她處處顯得既無知，又無理，更是無恥。

無知，是因為盧秀燕無疑不懂國際關係的最起碼禮儀（protocol）或遊戲規則（rules of the game）。兩軍交鋒，不殺來使；雙方會談，也犯不著屈辱對手。

酈英傑不會只是一個處長，至少是美國國務院在台灣的頭號人物，他背後有個更龐大的政府在撐腰。再往上推，他代表的是美國，一個在世界各地可以呼風喚雨，或興風作浪的超級強權。論斤兩，盧秀燕不過是一個初出茅廬的台灣地方官，蚍蜉撼大樹，未免不知好歹。

盧秀燕既然是市長，有關台中市政的任何一言一行，當然必須向市民負責。酈英傑代表美國官方南下拜會，無疑是遠來的使節，性質已超出地方事務，而是國際關係，盧秀燕應該負責的對象，已不再是台中市民，而是台灣人民。她對來訪的美國官員態度輕慢，也許會贏得不少選票，喪失更多的恐怕是台灣人的誠信。在酈英傑眼裏，盧秀燕是個台灣人，不是台中人，更非中國人。

無理，是因為盧秀燕不按牌理出牌，還出老千。既然是雙方約定的閉門會議，主人就沒有道理在訪客踏進大門後，突然改為公開會議，殺個對方措手不及。

所謂閉門會議，便是後台，而非前台，後台與前台各有一套走台步的規範和要求。後台，只有少數相關人員可以在現場（導演和演員），不對外開放，更不應有觀眾插上一腳，參與的人盡可吵得臉紅脖子粗，拍案叫罵。前台，就是粉墨登場了，演一場戲，走個過場。主角不按劇本

演戲，刻意即興演出，讓其他演員難堪，導演難免顏面無光。官場也一樣，盧秀燕演了一齣荒腔走板的戲，慘不忍睹。

學過一點新聞學的人都知道，學者與專家應更清楚，任何有記者在現場的局面，特別是電視記者，全是偽事件（pseudo event）或媒體事件（media event）[23]，也就是人為事件。事件的發生經由當事人精心設計或安排，不過在讓記者做個報導，替政客搶占一點新聞版面或時間。

盧秀燕與酈英傑的會面是十足的假事件，這中間當然有她的政治算計和預期效應，只是手法粗糙，斧鑿斑斑，無理到極點。

無恥，是因為整件事引起嘩然後，盧秀燕猶不知問題出在哪裏，不懂閉門思過，反而引起 AIT 發出聲明，罵盡台灣所有政治人物。拖無辜的人下水，官員無恥，莫此為甚。

知恥，是一種倫理的表現。在台灣官場，特別是牽涉國際關係的場合，從中央到地方，大小官員所必須承擔的倫理有兩種：信仰倫理與責任倫理。[24] 前者，是官員有所為與有所不為的信念；後者，是官員為自己的言行後果負起終極責任，例如，前台中市勞工局長吳威志捲入婚外情醜聞而丟官。

盧秀燕把酈英傑的拜會與美國萊豬議題掛鉤，多少是言論自由的表達，也反應出對市民健康的關切，看起來無可厚非。其實，這是一種打狗不看主人的輕妄舉動。酈英傑當然不是狗，更不是民進黨政府的走狗，盧秀燕大可在閉門會議中修理蔡英文總統與美國政府一頓，不必公開讓他下不了台。

不幸的是，盧秀燕以開著門打小孩給人看的架勢，左右開弓，打到的不全是小孩（她自己倒是相當幼稚），看的人也未必是毫無回手的大人。美國政府不會因中國國民黨反對就在萊豬問題上讓步，一旦出手，KMT 大概就跟進口美豬一樣笨了，任人宰割。

---

[23]　見 Daniel Dayan & Elihu Katz (1992). *Media events: The live broadcasting of history.* Cambridge, Mass: Harvard University Press.

[24]　這是韋伯提出的兩種倫理，見 H. H. Gerth & C. Wright Mills (eds.). (1948). *From Max Weber: Essays in sociology.* London: Routledge & Kegan Paul.

台灣是中國的古巴　　✐2021 年 2 月 22 日

　　自從蔡英文（1956-）總統 2020 年連任以來，特別是在中國共產黨建黨 100 周年（2021 年 7 月）的前後時刻，中國何時可能攻打台灣，與美國會如何反應的論述和臆測，甚囂塵上，尤其是統派的政客、新聞媒體與學者。他們認為，中國以武力統一台灣是理所當然的國內事務，美國不會馳援，民進黨政府與台獨陷台灣於險境，咎由自取。

　　國外觀察家和新聞媒體也不遑多讓，往往以為台海兩岸的緊張關係遲早引發民主與獨裁體制的軍事衝突，後果難以設想。英國《經濟學人》雜誌在 2021 年 2 月 20 日的一期中，就以「如何殺死一個民主」為題，指出美國正在喪失阻止中國攻打台灣的能力，如果台灣被中國統一，也示意美國全球領導地位的終結。

　　從國內到國外，類似的話語都非常聳動聽聞，前總統馬英九（1950-）2020 年 8 月「首戰即終戰」的論調不過是集各種主張之大成，認定台灣在中國大軍壓境之下，勢必兵敗如山倒，不堪一擊。有些學者、記者和政客更引用美國哈佛大學教授 Graham Allison（1940-）的 2017 年著作 *Destined for War: Can America and China Escape Thucydides's Trap?*，宣稱台灣恐怕會是中美註定一戰的導火綫。

　　其實，Allison 所謂的 Thucydides's Trap（台灣翻為修昔底德陷阱）只是個假設，基本陳述是，一個強權的興起（中國）對既存的唯一強權（美國）多少會帶來改變現狀的恐懼與不安。儘管符合過去 500 年的歷史經驗（16 次衝突造成 12 次戰爭），這種競爭和威脅未必導致中美兩國必然兵戎相見的結論。大國博弈，即使是民主與獨裁的對抗，推到極致，不見得會以戰爭收場。

　　一個根本原因是，在中國、台灣與美國三角關係的壓力結構上，存在一些難以預測的變數，特別是兩個強權無法完全掌握彼此對弱小一方

的真正意圖，以及對方為達到目的所願意付出的代價底線，就像 1962 年 13 天的古巴飛彈危機，即使美國與蘇聯都已劍拔弩張，雙方終究在戰爭邊緣各退一步，防止殺個你死我活。

從地緣政治看，台灣對於中國，一如當年古巴對於美國，無疑芒刺在背，危機四伏。在相當程度上，不管北京認可與否，台灣不免是中國的古巴，而非分裂的一省。

除去國共內戰的後遺症與認同糾纏，台灣的存在是自由民主對中國共產政權正當性的挑戰（華人社會畢竟可以實現民主體制），古巴的存在則是共產政權對美國民主制度合理性的威脅（共產黨居然可以在美洲落地生根）。就國際關係衡量，台灣與古巴在強國之間的角色互換，屬害有別。

台灣是一個弱小的民主國家，卻面對強大的中國共產體制的逼迫，但是有美國隔著大海撐腰。古巴是一個弱小的共產國家，卻威脅到一個強大的美國民主制度，不過有蘇聯隔著大洋壯膽。台灣與古巴都是國際強權政治和現實主義的一顆棋子，任憑大國擺佈。

台灣距中國福建省的最窄距離為 130 公里，古巴與美國隔著 144 公里的海峽，相差不大。如果中國或美國有意拿下島國台灣或古巴，各自的長程導彈可以急速橫越海峽，密集攻打兩個彈丸之地，要夷為平地，根本輕而易舉。只是，不看僧面看佛面，打狗也得看主人。目前的美國與當年的蘇聯都擁有核子武器，毀滅性的戰爭一觸即發。

事實是，即使古巴在 1962 年危機期間擊落一架飛越領空的美國 U-2 偵察機，甘迺迪（1917-1963）總統也未興師問罪。根據 Allison 在 1971 年出版的 *Essence of Decision: Explaining the Cuban Missile Crisis*，其中關鍵是，甘迺迪難以掌握蘇聯領導人赫魯雪夫（1894-1971）到底會如何回應美國的戰爭行動，特別是在東西柏林之間。

對北京來說，台灣的地位無異美國的古巴，不除不快，但又不易下手。中國國家主席習近平（1953-）當然希冀統一台灣，作為他與開國元首毛澤東（1893-1976）平起平坐的歷史功勳。問題只在於，台灣的背後

有一個難以捉摸的美國因素，不只是總統個人的好惡，更有美國政府整體組織的運作與國家利益的算計。

　　美國總統拜登（1942-）或許不會像前任總統川普（1946-）在言行上對中國擺出強硬態度，但是他顯然讀過 Allison 的著作 *Destined for War*，也經常尋求 Allison 的建言（他在書的第一頁推崇作者），應該理解如何避開掉入 Thucydides's Trap，又不至於屈居中國下風，尤其是習近平在台海耀武揚威與南海興風作浪對美國國際安全的挑釁。

　　我們無法斷定習近平的英文程度與政治智慧如何，不過，在他決定侵略台灣之前，不妨抽空讀讀中文版《註定一戰？中美能否避免修昔底德陷阱》，仔細思考一旦他發起台海之戰，中國與美國是否註定一戰？兩國又如何收拾殘局？他個人、中共與中國更要付出什麼代價？

　　《經濟學人》2021 年 2 月 20 日的結論是，如果中國相信它可以完成統一台灣的任務，代價也可承受，它就會採取行動。《經濟學人》沒有說明的是，什麼代價是習近平可以承受的？侵略者的代價恐怕由不得他片面決定，理由無它，台灣並非毫無反擊之力，美國與其它西方國家大概也不會坐視一個自由民主的台灣被中共強權侵佔。

　　戰爭過後，只要台灣不被併吞，浴火而生，獨立難免，這應該是習近平意料不到的終局，更是一個無法背負的代價。

無理篇

無理，簡單說，就是缺乏理性，有時不講道理，有時強詞奪理。無理的基本指標大致有兩個，一是不在乎客觀事實如何，只在乎自己的主觀感受，往往主觀壓倒客觀；二是不講究證據，只追求自由心證，通常本末倒置，先射箭，再畫標靶。

事實，是已經發生過的事情或事件，不可能逆轉，沒人可以經由自由意志回到未發生之前的狀態。事實為什麼發生，如何發生，或者意義是什麼，亦即解釋前因或解讀後果，倒是會因人而異。有些人就是不肯面對現實，即使鐵證如山。證據，是支持一個信仰或主張是否站得住腳，或足以構成相關事實或資訊的有效基礎。

事實與證據之間有一個可以理解的邏輯關係。對理性的人來說，只要關係確立，無懈可擊，除了接受外，無從討價還價，甚至不認帳。對無理的人來說，兩者卻都可挑戰：事實可以是杜撰的，證據可以是偽造的。反正，我就是不相信地球是圓的。

在後現代社會，無理，是一種個人態度，無關客觀事實。一個根本出發點是，只要我喜歡，有什麼不可以。所以，事實被歪曲，證據被漠視；推到極致，感性被突出，理性被擱置。無理而又相互吹捧，在媒體渲染之下，社會上遂瀰漫鬼魅當道的現象。「國師」在新聞的字裏行間被推崇，命理師遂橫行於世，不信蒼生，信鬼神。

在日常生活與公共領域裏，事無巨細，人無尊卑，無理存在於社會的每一個角落，發生在不同階層的互動中。人有七情六欲，也難以離群索居，因此，無理並非絕對，而是相對；甲認為有理，即使理性十足，

在乙看來，很可能是無理至極。畢竟，公婆各有理。

隨著單位擴充，或數量膨脹，無理跟個人麻煩和社會問題之間，便有一個可以領悟的關聯邏輯，例如，官府的小事難免是民間的大事。無理的社會效應有時如一粒石子擊破水面，漣漪一波接著一波，打縐一池春水。到底，官民糾紛出自理性潰敗，雙方不按牌理出牌。

官員／政客無理，反映在目中無人，聽不進反對／異議的聲音。剛愎自用，便是霸權的無理，從而以理吃人，不吐一根骨頭。政府或政黨的思維和政策定於一尊，容不下其它替代的視野，一旦導致集體思維，失敗難免，遲早而已。

學者無理，反映在讀聖賢書，不知所為何事。學者知其一，而不知其二，看不到其它可能的競爭解釋／理論，或解決／研究路徑，故步自封，就是霸道。學者狂道阿世，加上無理記者與網民的推波助瀾，惡性循環，難免劣幣驅逐良幣。

一般人無理，反映在對梟雄的盲目膜拜，或瘋狂追隨，就算被牽著鼻子走，也毫無知覺。秀才遇到兵，有理說不清，無理之人遂是愚民的化身。愚民又愚忠，最是容易被政客煽動，意氣用事，肝腦塗地，或玉石俱焚，在所不惜。

權力的傲慢：當柯文哲不再另類　✎ 2017 年 4 月 11 日

　　台北市長柯文哲（1959-）2017 年 3 月底去了一趟馬來西亞、泰國和印度，進行所謂的「新南向」城市交流，其實不過在製造個人新聞，打造台北形象，以累積 2018 年競選連任的資本。

　　從公開到私下，柯文哲拜訪了一些地方，見了一些人，談了一些事。他利用機會，對國內政治（去蔣介石的轉型正義）、國際關係（中國打壓台灣）、市政（觀光）與中港台互動，表達了一些看法。不管話語是否得體，柯文哲不是失言，也非無知，而是傲慢無理，更不再另類。

　　柯文哲的興起是台灣政壇的非常態現象，棄醫從政，打著白色力量旗幟，一如女人的白色結婚禮服，暗示純潔無瑕，以素人姿態出掌首都市長。說好聽一點，素人的優點是，白紙一張，沒有政治包袱，不受既有成規綁手綁腳，如國、民兩黨的大老文化傳統；缺點是，白紙一張，不具黨政歷練，未經領導素質養成的洗禮，如兩黨政治現實的權力折衝。

　　無論好壞，柯文哲就任市長兩年多，偏差與敗筆有目共睹。他的最大毛病在於不知政治為何物，卻又大權在握，笑傲官場。在德國社會學家韋伯（1864-1920）看來，所有的政治都牽涉權力大小的鬥爭。[1] 這種爭鬥不會有最終的結局，因為政治是永無止境的權力交替，一代新人換舊人，進退之間，政治人物應有所為，與有所不為。柯文哲缺的，正是對權力的拿捏，不知分寸。

　　柯文哲固然取得市長大位，卻始終難以有效駕馭政治團隊與市政府的行政官僚體系。他的根本偏差是，早已脫下白袍，卻堅持以外科醫生的經驗和手段治理台北市，把複雜的大都會當作躺在手術床上的小病

---

[1] 見 H. H. Gerth & C. Wright Mills (eds.). (1948). *From Max Weber: Essays in sociology*. London: Routledge & Kegan Paul.

人。他顯然不能理解，醫生與市長角色完全不同，開刀動手術當然必須遵守一套標準作業程序（SOP），刀起刀落，不能肆意而為，不然，切錯一腳，雙腳盡失。市政如麻，不能腳痛醫腳，偏執一方，或者一刀切。

政治是眾人之事，三人成眾，更何況 270 萬台北市民。如果治理市政有一成不變的 SOP，一個蘿蔔一個坑，誰當市長都足以勝任有餘，柯文哲再如何素人，無關痛癢。從大巨蛋的僵局，到台北市是否該去除蔣介石的政治圖騰，柯文哲的反應與辯解是，一切以 SOP 為依歸，毫無市長的擔當。

他當過教授，整天把 SOP 掛在嘴上，卻從來不解釋 SOP 到底是什麼，又如何形成。他顯示的其實並非政治官員的應有洞見與領導能力，而是行政官僚的基本條件和起碼的執行技術。也就是說，柯文哲頂多是民選的事務官，而非政務官，在概念創新和操作方面，提不出一套思考與實踐藍圖，只能在現有架構上，依樣畫葫蘆。

柯文哲的敗筆是，在政治舞台上，權力的滋味與隨時可得的講壇和發言機會，不免讓他從素人變成政客，由前台到後台，浸淫在光環之中，對白與走位毫無章法和規範，多少顯得傲慢，又經不起他人的指教。

無論是否信口開河，或有感而發，他的許多觀點（如兩岸一家親）和想法（如反對去蔣），不再代表國、民兩黨之外的替代選擇，反而逐漸向想像與實際的權勢靠攏，包括想與「大陸朋友」談談台灣的外交困境，在相當程度上，把台北弄得跟香港特區沒什麼兩樣。以台灣一市之長的地位，柯文哲的中國朋友又能上達天聽到什麼程度？

一個無黨籍[2]的政客一旦向現實低頭，或與權勢妥協，縱然國、民兩黨投鼠忌器，在現有藍綠兩黨政治版塊衝擊下，左右交鋒，畢竟難以獨

---

[2] 柯文哲於 2019 年 8 月 6 日創立台灣民眾黨，出任黨主席。純粹就政黨地位與角色看，他跟中國國民黨、民主進步黨和中國共產黨的主席在名目上已不分軒輊。在 2022 年卸任台北市長後到 2024 年之間，只要時機允許，他大可以民眾黨主席與中共主席習近平在北京舉行一場高峰會。

領風騷。從台北到北京，柯文哲企圖逢迎各方，當白色被紅、藍、綠三種顏色渲染後，無疑頓失本色。一張白紙被畫成四不像的塗鴉，最終難免登不了大堂，恐怕也會跟街頭塗鴉一般，幾番風吹雨打，曇花一現，消失在歷史的灰燼中。

　　柯文哲也許是學優則仕的另類，他的演出不過是台灣官場另一種腐化的投機現象。

小英的公公婆婆 　✎2017 年 6 月 27 日

　　蔡英文（1956-）能在民主進步黨群雄林立，尤其是大老環伺的等級體制下，兩次成為總統候選人，顯然是巧婦。2016 年 1 月台灣大選，身為民進黨主席，她以 689 萬對 381 萬的懸殊票數，擊敗對手中國國民黨主席朱立倫（1961-），並帶領民進黨成為國會最大黨，更不是省油的燈。

　　至於坐擁總統大位後，小英的統治能耐，則是另外一回事，藍綠學者與專家各自解讀和批判。

　　從民進黨主席到國家領袖，蔡英文縱橫的環境場域，大小不同，身分更是公私有別。不管是黨主席或總統，她位居領導人，在抽象角色上沒有什麼差別。依德國社會學家韋伯（1864-1920）的定義，所謂領導（leadership），就是打動群眾並贏得他們追隨的能耐，這種能力不假外求，多少出自政客本身的魅力（charisma）。[3]

　　蔡英文在總統大選中，左打國民黨主席朱立倫，右打親民黨主席宋楚瑜（1942-），證明她的能耐經得起試煉，是否跟個人魅力有關，就很難說了。一個不容否認的事實是，國民黨馬英九（1950-）總統執政八年引起的「賭爛」情緒，瀰漫於市井之間，特別是中間選民，民進黨難免坐收其利。水漲船高，小英也就登上權位巔峰。

　　小英看似溫馴，其實堅決果斷，相當有個性，外國媒體以「亞洲的梅克爾」形容她，大致不差。不過，巧婦難為無米之炊，再加上一堆公公婆婆，小英就任總統一年多，舉手投足，動輒得咎，弄得裏外不是人。這些公公婆婆可分三類，有些天生親家，無從選擇，更多的是毛遂自薦，越俎代庖。

　　第一類公婆自然屬於民進黨，小英毫無回身的餘地，怠慢不得。因

---

[3] 見Michael Joseph Smith (1986). *Realist thought from Weber to Kissinger*. Baton Rouge: Louisiana State University Press.

為天下是他們打出來的，在台灣講究輩分的官場文化裏，論資排輩，這些公婆都有一席之地，講起話來，小英不看僧面，也得看佛面。佛既然不可欺，小英雖然不會低聲下氣，多少得讓公婆三分。

不論是充滿宮庭官僚腐化色彩的「四大天王」──呂秀蓮（1944-）、游錫堃（1948-）、蘇貞昌（1947-）和謝長廷（1946-），或是過氣的大老許信良（1941-）和失意的前立法委員沈富雄（1939-），誰都有話說，指指點點，或指桑罵槐。尤其是呂秀蓮和沈富雄，前者頗像白頭宮女，看盡權力的光環與眾星拱月的光彩，總遺憾沒登上大位；後者即使不是滿腹經綸，也胸懷大志，在民進黨內卻難以施展手腳更上層樓。兩人針對小英的話語未必刻薄，倒有「此路我開，留下買路財」的尖酸。

第二類公婆出現在國民黨內，小英睜一隻眼閉一隻眼，也得虛應一番。由於是在野的最大反對黨，又在 8 個縣市執政，國民黨在台灣的政治光譜上，算是小英未過門的「親家」。設身處地，他們當然會對小英說三道四，評頭論足，只差沒打入冷宮。

從卸任總統馬英九，到國民黨前後任主席洪秀柱（1948-）、吳敦義（1948-）或副主席郝龍斌（1952-），或是國民黨立法院黨鞭廖國棟（1955-），還有他們身邊的跟班羅智強（1970-）、蔡正元（1953-）、邱毅等（1956-），每個人談起小英全一鼻孔出氣，把小英數落得一文不值，特別是馬英九與洪秀柱，一如豪門公婆看收養的小媳婦，一無是處。

馬英九雖然還不至於指著小英破口大罵，卻是一副熬成婆的架勢，教訓小英如何洗手做羹湯。小馬到底當過總統，沒吃過豬肉，也該看過豬走路，細說媳婦難為，無可厚非。洪秀柱就不免飛象過河，在中華民國 2017 年 6 月被巴拿馬打了一巴掌後（斷交），還跑到中華人民共和國大罵小英為婦不仁，企圖聯合中共把小英掃地出門。這種公婆豈止不知好歹，簡直唯恐天下不亂。

第三類公婆，是住在北京的遠親，有幾十年老死不相往來，國民黨曾經以「漢賊不兩立」切割，在馬英九執政期間竟變成難兄難弟。這種

曖昧關係交到小英手裏，剪不斷，理還亂。他們堅持只要小英認祖歸宗，一切好談，包括偏安海角一隅，在台灣打著宗族的名號，獨守一間加蓋的鐵皮屋，像香港特區一樣。

　　不同於前兩類公婆，第三類公婆從中國國家主席習近平（1953-）以降，都是一個模子打造成型。習大大堅持小英在「九二共識」下，過堂拜祖，黨國高官，如國台辦主任張志軍（1953-）、海峽協會會長陳德銘（1949-）和全國政協主席俞正聲（1945-），就全面佈置「一個中國」的禮堂。其他的大小官員與在台灣的代理人，則到處敲鑼打鼓，為祖國宗祠的完整，左右叮嚀，弄得小英心神不寧。

　　民進黨縣市長又舉棋不定，為「親中」與否，逞口舌之快。台北市長柯文哲（1959-）更為 2018 年市長選舉，仗恃藍綠投鼠忌器，參加雙城論壇，從中攪局。各方一再糾纏，幾度攻防，公說公有理，婆說婆有理，北京公婆因此更顯得氣焰囂張，非要小英認賊作父。

　　基本上，小英的公公婆婆分屬韋伯歸類的兩種政客：一種為政治而生（live for politics），另一種靠政治而活（live off politics）。[4] 韋伯認為，前者是對權力擁有的迷戀或自戀（天縱英才），後者多少應權勢而為。從觀念到操作，兩者並不相互排斥。

　　以目前的台灣政局看，民進黨公婆靠政治而活，一旦小英不能當家做主，樹倒猢猻散，他們的日子將失去意義，如喪家之犬。國民黨公婆則為政治而生，他們念茲在茲的，無非是如何贏取下次總統大選，重新指點江山，即使引狼入室，或狼狽為奸，也在所不惜。至於中共公婆，黨國專制是他們的生命，民族重於民主，一山不容二虎，不是你死就是我活，虎視眈眈。

　　因為公婆眾多，彼此又舌槍唇劍，小英想要自立門戶，恐怕還有得爭吵。至少在塵埃落定前，這些公公婆婆不會輕易罷休，讓小英獨領風騷。

---

[4] 這是韋伯提出的見解，見 H. H. Gerth & C. Wright Mills (eds.). (1948). *From Max Weber: Essays in sociology*. London: Routledge & Kegan Paul.

柯文哲與雙城論壇何來對等？　*2017 年 7 月 5 日*

　　台北市長柯文哲（1959-）執意出席 2017 年 7 月 1 日到 3 日的上海雙城論壇，最終目的在挾外自重，拓展自己的政治力量，而非他宣稱的，在維護台灣人民的福利。他當過教授，自然懂得一些抽象的話語概念與陳述的層次。

　　在現實主義（realism）[5] 看來，所有政客都會以集體利益隱匿個人私利，特別是權位的追求。柯文哲並不例外，為了 2018 年連任，他的政治手腕雖然還不見得爐火純青，恐怕也不輸老奸巨滑的政客。

　　在台北，柯文哲堅持以對等的尊嚴地位參加論壇，在上海 3 天期間的公開談話並不離譜，更沒失言。不過，他所謂的「兩岸一家親」或「建構兩岸生命共同體」的公開說辭，多少帶點投石問路的味道，不免向「人在屋簷下，不得不低頭」的現實妥協，甚至有意迎合與奉承對手，屈身求見。

　　柯文哲的用字遣詞毫無新意，也談不上另類視野。只要查看過去幾年中國官方的對台主張，柯文哲不過是借用中國國家主席習近平（1953-）和國務院國台辦主任張志軍（1953-）的警句，前後呼應，上下唱和。也難怪，張志軍會在柯文哲離開上海當天下午，安排閉門會議，把兩個城市的一場交流提升到兩岸的互動，也注入了一些想像的變數。

　　不管動機何在，也無論實質效應如何，這場會議除了為雙城論壇留下耐人尋味的餘波，更可能在往後的兩岸關係激起千層浪。至少，從目前到 2018 年的台北市長選舉和 2020 年的總統大選，台灣政壇恐怕會漣漪不斷。柯文哲無疑成會為北京拉攏或分化的對象，在藍綠之外，為紅

---

[5]　見Michael Joseph Smith (1986). *Realist thought from Weber to Kissinger*. Baton Rouge: Louisiana State University Press.

色政權開拓一條接觸台灣中間選民的潛在渠道。

這條管道的打造並非出自柯文哲個人特質，而是建基於他背後的官僚體系與政治資本。當醫生時，柯文哲懸壺濟世，也許手操生殺大權，權勢再大，都只能以單一病人為對象，一個一個計算。身為市長，尤其是首都，柯文哲應付的不再是個別市民的小私小利，而是 200 多萬市民的長治久安和城市的國際形象，雖然不至於一將功成萬骨枯，他的政治高度以全體市民和整個台北市墊腳。

不論是實際或象徵意義，柯文哲的政治力量不可謂不大。他出席雙城論壇，還與張志軍促膝對談，其他藍綠政客大多望門興嘆，不外是中國採取現實主義，企圖在兩岸政治中取得某種勢力均衡的一個槓桿。這種槓桿未必是對等力量的產物，更多時候是權力分配不均的後果，柯文哲既應運而生，中共就有機可乘。

柯文哲在台灣政治舞台上算是位高權重。如果為了更上層樓（這是所有政客的共同野心），而向中國的國家力量靠攏，或者在觀念上認同北京所界定的兩岸關係，一如他在雙城論壇一些似是而非的話語，柯文哲的興起註定是台北的政治悲劇，他代表的第三勢力難免把台灣帶進一個無法轉身的死角，終至動彈不得。

由海峽兩岸過去幾十年互動的歷史與現實利益看，在概念和相關指標方面，從 2011 年中國國民黨郝龍斌（1952-）市長任內起，雙方輪流舉辦的台北－上海雙城論壇，絕非是對等的城市交流機制，反而是不對等的圈套，被套住的是台北，越拉越緊。

理由無它，上海是中華人民共和國的大都會，而非首都，台北卻是中華民國首都（以目前的政治局勢推斷，國、民兩黨不會有太多異議），除了台北－北京的雙城論壇架構外，其它安排都談不上對等。現有的格局根本把台北與上海擺在相同的位階上，亦即它們都是中國的地方城市。

由郝龍斌到柯文哲，台北市長只要參加雙城論壇，就進一步深化台北是中國一個普通城市的地位色彩，像香港一樣，屬於境外，但不改中

國屬性，其作用與 Chinese Taipei（「中國的台北」）稱號無異。

中國國家主席習近平 2017 年 7 月 1 日有關香港回歸 20 年的談話，即使重彈「一國兩制」的老調，先決條件是一國，至於兩制的定義與操作，完全由中央政府依據中華人民共和國憲法定奪。中國官方的看法是，香港「基本法」只是聊備一格，「中英聯合聲明」不過是一份歷史文件，毫無現實意義。

從新聞報導看，幾番杯觥交錯，柯文哲與上海市長應勇（1957-）相談甚歡，同樣是大都會市長，雙方不免惺惺相惜，可能還相見恨晚。在台北，柯文哲相當反對標籤政治，強調內容重於形式。依他的邏輯，在上海，柯文哲應該理解，市長應勇跟自己的市長地位並不對等，儘管標籤相同，內容指標卻差別很大，一旦相提並論，簡直把馮京當馬涼，更合理化一個不合理的政治體系。

第一，應勇並非民選，不必向上海市民負責，去留無關人民好惡，而以中共的政治需求與對黨的忠誠為依歸，任免由上而下。柯文哲必須在 2018 年面對台北選民的檢驗，合者，再續任四年，2022 年後前途看漲；不合者，掃地出門，像當年的一任市長陳水扁。

第二，應勇固然是市長，卻只是「二把手」，在他之上，中共上海市委書記韓正（1954-）才大權在握。也就是說，應勇與柯文哲的任何協議，都得先通過黨的認可。柯文哲倒是沒有「一把手」在背後操控（總統府與行政院頂多提點建議），以無黨無派身分，與上海中共黨機器打交道。如此虛幻的對等，經台北默認，便弄假成真。

在上海，柯文哲的最大不對等是與張志軍會談，後者的官銜是中國國務院台灣事務辦公室主任，黨職是中共中央台灣工作辦公室主任。國台辦等於是行政院大陸委員會，張志軍以國台辦主任名目會見柯文哲，在相當程度上，把台北市定調為一個中國地方城市。柯文哲是台灣來客，與國台辦主任同坐一堂，看起來似乎平起平坐，其實是上下從屬的微妙安排（張志軍稱柯文哲為市長，但不會承認台北的首都地位）。如果柯文哲由陸委會主委張小月（1953-）陪同會見張志軍，自然另當別

論，問題是，陸委會已形同虛設，不得其門。

　　從頭開始，不論是表象或實質，台北－上海雙城論壇一直是不對等的政治遊戲，整個規則讓中國占盡上方，收放自如，台灣卻掉到一個舉步維艱的泥淖裏，越陷越深。

　　儘管木已成舟，柯文哲市長不應繼續參與建構一個損害台灣主權的虛假平台。作為首都市長，柯文哲何妨破斧沉舟，退出雙城論壇？

曲終、幕落、人散：看馬英九演戲　*2017 年 7 月 17 日*

前總統馬英九（1950-）2017 年 7 月 11 日到花蓮，在東華大學校友總會活動發表演說，強調蔡英文（1956-）總統必須接受他任內主張的「九二共識，一中各表」框架，以修補兩岸關係。馬英九信誓旦旦，面不改色，這八個字幾乎是他的武功密笈，走遍江湖無敵手。

在 2016 年總統大選後，即使曲終（不再執政），幕落（總統府易主），人散（樹倒猢猻去），馬英九顯然不甘寂寞。卸任後，他到處尋找舞台，利用前總統身分，粉墨登場，在前台上唱作一番。後台，對台灣大部分政客來說，無異是獨守寒窯，寂寞難耐。

從國內大學或社團，到國外智庫或國民黨外圍組織，馬英九只求站上講台，聽眾多寡並不重要。重要的是，他可以就台灣政治局勢和海峽兩岸關係，重談老調，或大放厥詞，一再販賣所謂的「九二共識」，深信不移。東華大學校友總會的談話只是最近的例子。

就國際關係來說，馬英九的「九二共識，一中各表」，是一種信仰倫理（ethics of conviction），談不上責任倫理（ethics of responsibility）。[6]前者屬於理念範疇，無關實證或經驗；後者則涉及責任擔當，亦即對言行所可能帶來的任何後果，負起無可推諉的政治或法律責任，例如辭職以謝國人。

遺憾的是，由總統府到各級地方政府，台灣具有責任倫理的政客頂多是鳳毛麟角，而懷抱信仰倫理的卻如過江之鯽，缺的是兩者兼具。

即使在前中國國民黨主席洪秀柱（1948-）於 2017 年 6 月 28 日指出中共完全不同意「一中各表」後，馬英九依然堅信不疑。換句話說，他根本無視現實，也不在乎他的信念其實已被中國的「一中原則」綁架，

---

[6]　見Michael Joseph Smith (1986). *Realist thought from Weber to Kissinger*. Baton Rouge: Louisiana State University Press.

代價是台灣失去主權與人民自主的揮灑空間，劃地自限。這不僅是馬英九個人的悲哀，更是台灣與中國之間政治糾纏不清的悲劇。

以卸任總統身分，馬英九可以利用各種話語，尤其是跟蔡英文總統相左的主張，在不同場合，輕易操弄台灣新聞媒體的所見、所聞和所思。因為市場競爭區隔（統、獨媒體）與生存壓力（吸引讀者或觀眾），記者與編輯很難不落入與政客共生結構的陷阱，在報導上，多少就成為政客顛倒黑白或信口開河的共犯。

由於多年的黨政經歷，加上美國的留學經驗，馬英九應該相當清楚，新聞媒體與記者很難擺脫官方的新聞操控，特別是台灣幾十年的戒嚴和報禁已經馴化了一整代的媒體管理階層與資深記者，直接或間接造成「新聞室的社會控制」[7]。當記者一窩蜂記錄馬英九或其他政客的演說時，一旦內容了無新意，又不分青紅皂白，突顯的豈只是政客的炒作，更是記者不具辨識替代新聞或另類意見的洞察能力。

從台北市政府到總統府，不管舞台大小，無論劇本好壞，馬英九堅持自己是主角兼導演，擔綱挑大樑，其他人大多跑龍套，眾星拱月。就算旁觀者高喊，「國王沒穿衣服」，馬英九不僅無能檢視自身的虛假，更怪罪他人放肆，不知輕重，2013 年「馬王政爭」的洩密案集其大成。

馬英九 2013 年 9 月涉及洩密案，於 2017 年 3 月 14 日被台北地檢署起訴。馬英九的回應是，他插手王金平（1941-）關說案，只不過在執行總統的憲法職務，避免「世界級的醜聞」。言下之意，關說與洩密是一體兩面，前者既不可縱容，也就合理化後者的「剷王」操作。在前台上，馬英九唱作俱佳，目中無人，連檢察官似乎都難以招架，疲於應付。

社會的反應卻是涇渭分明，支持馬英九的人同仇敵愾，從自詡是國民黨「標竿」的吳敦義（1948-）到矯情「任性」的羅智強，呼天搶地，如喪考妣。反對他的人也戮力同心，由民進黨立法院黨鞭柯建銘（1951-）到陳水扁（1950-）兒子陳致中（1979-），為天理昭彰，擊鼓

---

[7]　見 Warren Breed (1955). Social control in the newsroom: A functional analysis. *Social Forces*, 33, 326-335.

高歌。

這些情緒騷動其實都莫須有，對已經發生的後果，特別是戕害台灣民主和法治，不會再增減分毫。他們的信仰倫理顯然壓過對責任倫理的追求，台灣的政壇也就烏煙瘴氣，政客身陷其中，灰頭土臉。

洩密案不光是國民黨多年內鬥的枱面化，在台灣政治光譜上，左右水火不相容，盡可從馬英九執政 8 年的作為與後遺症理出頭緒。一般評斷是，馬英九只看到別人眼中的刺，卻無視自己眼中的樑木。透過新聞包裝，馬英九向外展示的是，天縱英才，出污泥而不染。

在下台後的有限舞台上，由自戀和自憐的角度看，馬英九在意的不外是鎂光燈的一點聚焦，並企圖改寫 2015 年 11 月在「馬習會」中斷送台灣主體性與人民自主權的不幸劇本。儘管生米煮成熟飯，歷史終究會記載，馬英九在前台上的演出表裏不一，面對不同觀眾，走不同台步，唸不同台詞，最新的「台灣人同意」及「民主統一」中國的論調，無非變相掩飾「化獨漸統」的手段。

馬英九的政治舞台也許在台灣，主要觀眾卻在對岸，特別是中國國家主席習近平（1953-）。從卸任後的一連串話語看，馬英九不敢或忘的難免是中共領導人的關愛眼神。他似乎忘了，在新加坡一別後，馬習共同開張的短暫酒店早已關門打烊，熄燈走人，再多合理化的說辭，恐怕也改變不了以總統地位矮化台灣國際定位的罪過。

台北世大運：台灣非國家的宣稱 ✑*2017 年 8 月 15 日*

　　2017 台北世界大學運動會 8 月 19 日開幕，台灣以 Chinese Taipei 的稱謂主辦。表面上，這是台北登上國際舞台的難得機會，實際上，卻是再一次向各國宣稱台灣並非獨立自主的國家，而是中國的領土或附庸。在自己的國土降格以求，台灣朝野猶顧左右而言他，不知今夕何夕。

　　當中國的中英文國號與五星旗在開幕大會招搖而過，而台灣高舉「中華台北」與 Chinese Taipei 的奧運符號和旗幟時，前後對照，世界上只有一個中國，根本是不爭的事實，中國與台灣的上下或中央與地方從屬關係，也昭然若揭。北京侵門踏戶，台北竟然還為如何大開方便之門喋喋不休。

　　中國國家主席習近平（1953-）2017 年 7 月 1 日在中共創黨 95 週年紀念大會說，共產黨推翻中國國民黨，替中華民族做出偉大的歷史貢獻。也就是說，中共在 1949 年便把國民黨蓋棺論定，它的政權同時壽終正寢，「一中」就是中華人民共和國，國民黨依然渾渾噩噩，迷失於「一中各表」的虛幻國度裏，特別是馬英九（1950-）和吳敦義（1948-），被中共打了右臉，還把左頰貼上去，一副敗兵之將不足以言勇的悲哀。

　　國共內戰後，國民黨敗退台灣，過去 30 多年來，重新與中共化干戈，泯恩仇，雖然以兩岸和平為出發點，多少也是「勝者為王、敗者為寇」導致的朝貢舉止，在相當程度上，遙奉中共為中國正朔，還猶抱琵琶半遮面，以「九二共識」唬弄台灣人民。從連戰（1936-）以降的黨國要員，不論在台北或北京，處處自我作踐，又把台灣當作進京覲見的獻禮。

　　台灣既然是個實體，更有 2300 萬人民，不可能沒有任何名目。國際上，「中華民國」已然被「中華人民共和國」取代，塵埃早已落定。兩岸之間的交鋒，過去幾十年，由於歷史陰錯陽差，與歷任總統缺乏「過

此一線即無死所」的遠見和擔當，在國家身分與地位方面，遂節節敗退。台灣終究把自己困在一個難以轉圜的死角，被迫頂著「中華台北」的虛假名號，妾身未明，不論參與官方或民間的國際組織，都淪落到尷尬的邊緣角色，比起世界上眾多小國還不如。

稍為懂得英文的學者與專家（一般人也一樣）都明白，Chinese Taipei 指的是「中國的台北」，並非「中華台北」。後者頂多是裹上糖衣的毒蘋果，即使一小口慢慢吃，劇毒不見得會稍減，累積起來，後患無窮。前台北市長郝龍斌（1952-）申請舉辦世大運，儘管話語冠冕堂皇（例如，讓世界看見台灣），其實是向各國公開昭告，台灣甘願接受原產自中國的蘋果，有關國家認同，承認在台灣之上，還有一個更大的主權實體，首都在北京，而非台北。

依現實主義（realism）[8] 看，國與國之間的任何競爭只有強權與力量，在弱肉強食的國際舞台上，以抽象的倫理對抗赤裸的權力霸道，甚至遵守一個不合理的遊戲規則，不過是弱者的表徵，一種自我安慰或麻痺的阿 Q 反應。面對中國四處進逼和打壓，台灣有不少人已被馴服得如代罪羔羊，一旦北京獅子吼，恐怕會誠惶誠恐，一副天威難違的卑躬屈膝，唯中共是瞻。

從台北市政府到總統府的各級官員，再加上運動員，或許還包括學者和專家，許多人都堅持體育是體育，無關政治，只要辦好世大運，就是台灣最好的國際認同。這真是無理與無知到極點，超級馬拉松選手林義傑（1976-）是個典型例子。

立法委員黃國昌（1973-）認為 Chinese Taipei 的名稱「荒謬」，林義傑的反應是，黃國昌「真的不知道體育！」，不必要在世大運舉行前扯後腿。如果黃國昌不懂體育，林義傑便不知國家為何物了。世界性的運動大賽只要以國家為單位，政治便盡在其中，體育無法自外。

---

[8] 見Michael Joseph Smith (1986). *Realist thought from Weber to Kissinger*. Baton Rouge: Louisiana State University Press.

　　林義傑的天真在於，台灣以 Chinese Taipei 的名目參與世大運，不過是遵照奧運的國際規則，因為當初是以這個稱號註冊，就算不倫不類，也難以說改就改，儼然站在道德高地。他的無知是，既然 Chinese Taipei 不具國家地位與格局，台灣的運動員沒有道理在國際競賽中，繼續合理化一個自取其辱的框架，尤其是在自己的國家糟蹋人民的尊嚴。林義傑似乎難以理解，在任何國際關係中，國家是基本單位，國與國互動必然牽涉國家利益與政治，沒有撒旦歸撒旦、上帝歸上帝的分野。

　　即使當過教授，台北市長柯文哲（1959-）對世大運的立場，也高明不到哪裏。他承繼了一個爛攤子，或許更被逼上梁山，成敗非戰之罪。在他看來，以 Chinese Taipei 的稱乎在自己的國家舉辦國際大賽，固然很奇怪，換成台灣（Taiwan）竟也只是個地理名詞，不具政治意涵。柯文哲只看到土地，不見國家和人民，未免目光如豆。

　　台灣不缺政客，大小政客滿街跑，真正的政治家懷抱吾土吾民，具有責任感，知所分寸，並勇於承擔言行的後果。

　　在這些方面，柯文哲還差得遠。為了 2018 年連任，柯文哲說，他不斷思考台灣政治到底要往何處去。如果台灣只是個地理概念，他的政治思維難免僵化，甚至可能停留在以往的威權時代，台灣不過是他打造「兩岸共同體」的一個跳板，踩在腳下的是 2300 萬人民當家做主的期待。

蔡英文應該問：誰欠台灣人民？　✐*2017 年 9 月 26 日*

　　總統蔡英文（1956-）2017 年 9 月 24 日以民主進步黨主席身分，在全國黨代表大會說，「台灣人民沒有欠民進黨」，暗示民進黨執政的權力來自人民託付，選民在下次總統大選時，可以趕民進黨下台。這句話雖然擲地有聲，卻多少本末倒置，以民進黨為主體，根本用意在鞏固統治力量，未必胸懷吾土吾民。

　　台灣人民的確不欠民進黨，也不欠中國國民黨，或其他邊緣政黨與團體。至於政治人物，例如連戰（1936-）以降的國民黨歷代黨國大老，包括馬英九（1950-）與吳敦義等（1948-），或民進黨永遠的四大天王／天后──呂秀蓮（1944-）、謝長廷（1946-）、游錫堃（1948-）及蘇貞昌（1947-），還有一堆過氣政客宋楚瑜（1942-）、許信良（1941-）、施明德（1941-）和郝柏村（1919-2020）等，就更不在話下了。

　　蔡英文的說法有點民粹，也太過於消極。積極點，蔡英文應該問：誰欠台灣人民？「台灣人民不欠誰」，與「誰欠台灣人民」，是兩種不同陳述，隱涵的道德要求有別。「台灣人民沒有欠民進黨」，蔡英文說得似乎很動聽，在相當程度上，卻把民進黨作為執政黨的政治與道德擔當一筆帶過。

　　在德國社會學家韋伯（1864-1920）看來，[9] 前者（台灣人民不欠誰）只是一種信仰倫理（ethics of conviction），這種認知缺乏政治行動的層面；後者（誰欠台灣人民）則是政治家應有的責任倫理（ethics of responsibility），亦即面對政治取捨或道德判斷時，毫不猶疑的做出決定，並為話語與行動後果承擔終極責任。畢竟，政治人物的進退以人民的安身立命為依歸。

---

[9] 見 Michael Joseph Smith (1986). *Realist thought from Weber to Kissinger*. Baton Rouge: Louisiana State University Press.

　　在民主自由國家，獨立自主的主權者（the sovereign）指的自然是人民（the people）整體。簡單說，就是主權在民，不能切割或單獨抽離某些部分來看待。台灣人民當然概括 2300 萬擁有台灣身分證的多元族群，他們可以自稱是「中國人」、「中華台北人」、「台灣人」、「原住民」或「新住民」，甚至是少數認同分裂的騎牆派或投機分子，彼此不相欠。

　　誰欠台灣人民？從歷史看，這個問題對許多人來說，並不難回答。在獨裁與高壓時期，蔣介石（1887-1975）和蔣經國（1910-1988）父子兩人積欠台灣人民太多，罄竹難書。除了白色恐怖橫行下無辜犧牲的數不盡蒼生，兩蔣的威權統治更馴化和培養了幾個世代的政客，包括國民黨、民進黨和其它政黨現有檯面上的不少人物，繼續為害人間，或延續一個不合理的政治體制。

　　國民黨對蔡英文的回應是，民進黨欠台灣人民一個公道。純粹就民進黨施政偏差而言，如一例一休的窒礙難行（堅持後果均等）或前瞻計劃的分贓（忽略機會均等），國民黨說得不無道理。民進黨顯然從國民黨執政期間學到了蠻幹的行徑，以其人之道，還治其人之身，還死不認錯。

　　不過，國民黨何嘗對台灣人民有過任何公道？228 事件的歷史檔案到現在都交代不清，更別提要追究黨國的責任。

　　國民黨未能反躬自省，又幹盡傷天害理的事，史蹟與血跡斑斑，不用多說。它欠台灣人民最大的公道是，以漢賊不兩立的虛假宣稱，又反台灣主體性與人民自主性的立場，於 1981 年起接受「中華台北」在國際間的名號，從此置台灣於難以回身的尷尬處境，1992 年後，更借用蘇起虛擬的「九二共識，一中各表」，與中國共產黨隔海對唱，擺出一副「寧與外人不給家奴」的傲慢和霸道。多年來，國民黨的霸權陰魂不散。

　　就責任倫理看，國民黨從來是個虛偽的政黨，裏外不一。對外，即使在執政期間與中共打交道時，國民黨處處以敗兵姿態，遙奉中共為中國一統的正朔，毫無再逐鹿中原或分庭抗禮的計謀。從蔣介石的你死我

活，到馬英九的難兄難弟，國民黨與中共之間的鬥爭或和談，往往讓國民黨鎩羽而歸，賠了夫人又折兵，猶不知所以然。

由 1980 年到 1990 年代初期，當中共表示雙方無事不可談時，特別是海峽兩案政治局面的安排，國民黨大可提出中國開放黨禁（各黨自由競爭）和報禁（黨與政府退出媒體）的雙重條件，一如當年「黨外」對國民黨的政治要求，與中共周旋。遺憾的是，國民黨畏首畏尾，讓中共獨占高地，一失足成千古恨，錯失在意識形態上與中共平等對弈或改造北京政權的時機，終至拱手出局，連帶葬送的是台灣人民當家做主的契機。

對內，國民黨在 2000 年與 2016 年兩次失去政權，不管是執政或在野，持續抱殘守缺，在認同上，以打壓台灣意識為職志，不在乎台灣人民求變求新的呼聲和行動。即使在自己國土上，國民黨也以遵守國際條例和規範，不但降格以求討好中國到訪的京畿大員，如 2008 年海協會會長陳雲林（1941-）或 2014 年國台辦主任張志軍（1953-），並肆意打擊台灣人民自主的抗議行動。

相對於國民黨高官或要員的「原債」，台北市長柯文哲（1959-）欠台灣人民的固然不能等量齊觀，但也難辭其咎。柯文哲打著白色力量的旗幟，遊走於藍綠政治光譜之間，利用兩黨惡鬥，借機鼓舞並收編台灣人民期待變革的自主運動（如太陽花學運）。不幸的是，從 2017 年 7 月的上海雙城論壇與 8 月世界大學運動會的親中言論與舉止看，柯文哲其實是變相的國民黨翻版，以他對毛澤東的推崇程度，甚至可能還帶點紅色。

中共欠不欠台灣人民？由相關文獻看，中共多少欠台灣人民一個機會。在 1920 年代到 1930 年代間，附庸於國際共產運動的大旗下，毛澤東與中共採取支持台灣民族獨立或建立台灣共和國的立場（如 1938 年《論新階段》報告）。當時，台灣還是日本帝國的殖民地，毛澤東（1893-1976）至少認可台灣是獨立於中國之外的土地，島上人民應有民族自決的權利。史實斑斑，目前的中共又如何交代？

當然，欠台灣人民最多的，無疑是台灣人民自己。

過去幾十年，台灣人民，包括許多為虎作倀的台灣人買辦或中國代理人與團體，縱容國民黨掠奪國家資源和人民的納稅錢。即使政權已經交替，民進黨全面執政，台灣人民面對的，依然是個帶有當年草莽性格的「黨外」——在黨之外，都非我族類，更不知民主與進步到底為何物，只談信仰倫理，無視責任倫理。

中國舊歌聲台灣新聽眾　*2017 年 10 月 7 日*

　　《中國新歌聲》因租借國立台灣大學田徑場，引起 2017 年 9 月 24 日流血事件，後續紛紛擾擾，塵埃尚未落定。不管是新聞報導、評論或各方當事人的說辭，其實都避重就輕，甚至無視盲點隱蔽的潛在危險：問題不在場地出租，更非歌唱性質，而是演出形式的霸道與霸權，有意合理化中國與台灣是中央對地方上下從屬的不合理關係。

　　表面上，《中國新歌聲》由於海峽兩岸一些新秀歌手的參與，內容或許有點初試啼聲的味道，也頗有音樂不分意識形態或「國界」的宣示。深一層看，整個活動卻是老調重彈，頂多換湯不換藥，企圖以變調的舊歌聲，打動台灣的新聽眾，特別是年輕一代，製造「你儂我儂」中國一家親的假象。至少，台北市長柯文哲（1959-）堅信不疑，二分法的認為非親即仇：一家親總比一家仇來得好。

　　即使智商再高，柯 P 若非天真，便是無知，政治智慧與道德擔當都令人搖頭嘆息：公無渡河，公竟渡河。從他處理《中國新歌聲》的畏縮，到事後糾紛的推脫，全一覽無遺，卻猶抱琵琶半遮面，無視千夫所指。

　　從中國到台灣，無論是網路上的宣傳或是紙版廣告和印刷傳單，在《中國新歌聲》幾個大字底下，上海與台北並列，無疑向海峽兩岸人民公開展示，上海和台北不過是中國轄下的兩個都會城市，國立台灣大學被改名為台北市台灣大學也就天經地義，毫不牽強。

　　在北京看來，國立，是在一種主權之下的宣稱，中國主權既不以台灣為主體，台大因此不具「國家」賦予的正當性。對柯文哲來說，依照 SOP（標準操作程序），台北市政府不用為整個事件（包括流血的悲劇）承擔任何責任，把原本具有政治意涵的爭議活動，以執行技術沒有瑕疵，輕快的打發掉。

　　一般人都不難分辨，馮京與馬涼，根本風馬牛不相及。只要稍有常識和知識，沒有人會說《中國新歌聲》名稱中的中國，不是中華人民共和國，而是中華民國。從 2014 年柯文哲就任台北市長起，這個歌唱活動由北到南，已經在台灣 20 多所高中和大學辦過，逐漸制度化。不論官方或民間，都習以為常，就難免形成盲點，忽略視線之外，看不到的立即或明顯危機。

　　台北與上海之間類似《中國新歌聲》的文化交流，源自雙城論壇，後者從來不是一個對等的機制。除非柯文哲接受台北不是中華民國首都，而是中華台北的一個城市，否則，上海與台北根本難以談政治對等。更何況，上海市的決策人物是一把手的中共黨委書記，並非市長，所謂市長不過是橡皮圖章，或對外裝扮的門面。

　　換句話說，面對兩岸政治組織與領導權力，柯文哲顯然無意區分中國黨、政之間的等級權力結構，反正拿到籃子裏便是菜。他的盲點是，台北與上海完全處在一個不對等的局面，卻看不透「市長對市長」是個假象，背後隱藏更大的中國黨國陰魂，它要的不只是洞開的台北門戶，而是從台北向台灣四處輻射的一個正當、又不引起注目的缺口。

　　不談早期的「血洗台灣」，近幾年的「洗腦台灣」進行的如火如荼，尤其是在中國國民黨當家的縣市。前中國國家主席胡錦濤（1942-）2004年強調對台工作，必須「入島、入戶、入心」，現任國家主席習近平（1953-）雖然不再使用相同字眼，但在「一中原則」的旗幟下，各種對台操作未曾偏離主軸，一方面在台灣內部培植擁護中共的力量（如公開效忠北京的個人與團體），另一方面則製造藍綠與中間勢力（如白色力量）對立的矛盾，從而收編可能為數不少的游移分子。

　　這兩種算計一直是北京對台工作的主旋律，目的不外是直接或間接招安那些甘願臣服於中國領導的台灣各界，如政界、商界、學術界、新聞界和演藝界等，不戰而屈人之兵。柯文哲說他不是「共匪同路人」，一個難以否認的事實是，他的言行舉止與中共終極統一的政治利益，往往不謀而合，又背離台灣民意。

從 2014 年起，柯文哲以素人民粹，意外崛起於藍綠政治廝殺的夾縫空隙，在中國眼中，正好為北京在台灣政壇打開一條進可攻、退可守的輕便途徑，簡直可遇不可求。柯 P 自詡是目前台灣政治人物中，能與中共黨政雙方周旋的不二人選，自信又自負，遂讓他迷失在一個虛擬的「兩岸一家親」的國度裏，還妄想「建構兩岸命運共同體」。

政治人物不會「橫空出世」，柯文哲是時勢造英雄的產物，大起大落，不過瞬間，比起他推崇的一世梟雄毛澤東（1893-1976），要打造江山多嬌，還差得遠。

在馬英九（1950-）卸任總統與黨主席後，國民黨在台灣已是扶不起的阿斗，對中共來說，利用價值相當有限，由吳敦義（1948-）當選黨主席有意被冷落的情勢看，可能也所剩無幾。相對於兵敗如山倒的國民黨，柯文哲出掌台北市，顏色多變，集萬千寵愛於一身，他的交換價值多少讓中共耳目一新，吹捧籠絡，不在話下。

民進黨於 2016 年全面執政後，總統蔡英文（1956-）除了承認兩岸「九二會談」的歷史事實，一句維持現狀，不過是「你走陽關道，我過獨木橋」的巧妙設計，基本上對中國不理不睬，比起國民黨的一再屈膝奉迎，難免讓中共當局落落寡歡。如此變調恐怕是習大大嚥不下氣的關鍵，對台灣各種內外打壓與文攻武嚇，不絕如縷。柯文哲在中國被奉為上賓，何嘗不是北京對抗民進黨的戰略手段？

柯文哲似乎深信治大國若烹小鮮，他的 SOP 可以維持兩岸對等關係。

一個簡單的驗證辦法是：台北市政府能否在上海借用復旦大學，推出《台灣新歌聲》活動，將台北和上海同列在台灣字眼之下，並在宣傳海報中，把復旦大學改為上海市復旦大學？答案應該不難：柯文哲門都沒有，更別提要像上海市台灣辦事處主任李文輝，在對方轄區內予取予求，如入無人之境。

蔡英文技窮？宋「老子」再出征　*2017 年 10 月 20 日*

　　亞洲太平洋經濟合作組織會議（APEC）2017 年 11 月 10 日與 11 日將在越南舉行，總統蔡英文（1956-）10 月 12 日再度任命親民黨主席宋楚瑜（1942-）為特使，代表 Chinese Taipei 出席這項國際大會。不管蔡英文交付的任務為何，宋「老子」連續兩年披掛上陣，說明在亞太區域外交戰場上，小英若非技窮，便是敷衍了事。

　　「老子」的稱呼，無關宋楚瑜年紀，更不在貶抑總統特使的地位。其實，宋楚瑜於 2016 年秘魯利馬亞太經合會議後，就以老子自居，大肆吹噓如何縱橫沙場，周旋於某些國家政要之間，為台灣的國際顏面和利益打拼。秦時明月漢時關，一年後，各國的 APEC 代表變化並不大，酒逢知己千杯少，宋楚瑜大致可以再把酒言歡，笑傲越南峴港。

　　儘管 APEC 的設計是以經濟體為參與單位的部長級會議，在 2016 年，除了香港和台灣外，出席的各國代表幾乎都是國家領袖，如中國國家主席習近平（1953-）、美國總統奧巴馬（1961-）、俄羅斯總統普丁（1952-）、日本首相安倍晉三（1954-）和新加坡總理李顯龍（1952-）等，冠蓋雲集，十足是不折不扣的國際盛會。宋楚瑜以 Chinese Taipei 的名目廁身其中，變相的為台灣取得一席之地，好歹可以在帝王下榻處，打個鼾，尤其是在習大大周邊。

　　在國際舞台上，台灣又一次公開以 Chinese Taipei 的荒唐符號粉墨登場，也許是形勢比人強，更可能是總統蔡英文缺乏政治果斷與道德擔當，針對每年的例行 APEC 大會，不過行禮如儀，應付一番。死馬當活馬醫，小英欽點老宋上場代打，不論形式或效應，可以分幾個方面探討，特別是台灣在外交上的意圖與能耐：台灣到底所圖何事？出手又有多少力道？

從現實主義（realism）[10] 的角度看，基本上，國與國之間的互動是領導才能與國家實力的延伸，一旦兩國相爭（如貿易競爭、領土糾紛或軍事衝突），最重要的不外是自主機會與進退把握的自由程度，兩者都涉及理論與操作的拿捏，前者是想像力，後者是創造力，缺一不可，而且相互牽扯。

對現實主義者來說，一方面，在國際關係中，國家領導人必須具備概念思考的能力，洞察外交政策脫離不了國力大小，政府應有所為，與有所不為。另一方面，面對利益取捨時，國家無疑須衡量所有可能的選項，以及實現特定選項的能力限制。在前美國國務卿季辛吉（1923-）看來，[11] 認知侷限是一個國家能否超越國內外侷限，從而體驗真正自由的前提。夜郎自大，一無是處。

由宋「老子」頂著「中國的台北」名號再登上 APEC 大會的安排看，蔡英文似乎不認為台灣是個自由民主國家，在外交折衝的選項上，遂受到中國勢力的掣肘。小英的盤算難免是，老宋當特使不痛不癢，台灣不過順水推舟，多少還自我限制，對中國的善意仁至義盡，中共因此沒有道理不接受民進黨統治台灣的正當性，或「中華民國」對應「中華人民共和國」的法理主張。

如果不是虛應故事，或躲在「維持現狀」的假象背後，蔡英文顯然太過於天真。不論正式或非正式會談，當宋楚瑜以 Chinese Taipei 代表穿梭於各國政要之間，習大大看到的「台灣」（即使不是中國的台北）頂多是香港特區的翻版，只差尚未以「一國兩制」蓋棺論定，北京又如何可能在兩岸關係中賦予台北一個平分秋色的地位？

就算不是天真，小英的想像力不免缺缺。除了老宋再重作馮婦，高舉 Chinese Taipei 的大旗，招搖而過，台灣就沒有其它選項了？如是，台灣終究萬劫不復。不然，作為總統，她大可思考，與其繼續把台灣困陷

---

[10] 見Michael Joseph Smith (1986). *Realist thought from Weber to Kissinger*. Baton Rouge: Louisiana State University Press.

[11] 見註 10。

在難以回身的一個中國泥淖裏，何妨宣佈不再以 Chinese Taipei 的稱謂參加 APEC 或其它任何國際組織？台灣既然是個國家，國家尊嚴不可欺，打落牙齒和血吞，另起爐灶又如何？

台灣放棄 Chinese Taipei 的稱謂，從此無名無姓？有些學者、專家和團體會大聲疾呼，台灣沒有本錢鎖國，自外於國際社會，成為「亞細亞的孤兒」，以 Chinese Taipei 的身段會客，包括 8 月下旬在台灣舉行的世界大學運動會，縱使妾身未明，總比棄婦好得多，至少還有個棲身之地，更何況風餐露宿，不如在強國陰影下苟延殘喘。

如果台灣非得以 Chinese Taipei 的頭銜參與 2017 年 APEC 會議，一個立即的問題是，過去一年，宋「老子」在 2016 年兩天的 APEC 會議後，到底為台灣帶來哪些實質的經濟效益？對台灣的自主權與本體性，他更如何在 Chinese Taipei 的旗幟下，撥亂反正，向其它國家提出正名？經濟效益應該很具體，不難羅列；國家正名或許無形，但也非毫無指標。

從官方到民間的各種國際場合，由於民族主義的霸道，中國堅持台灣必須附屬於中國之下，才能與北京代表同進同出。最新的例子是，2017 年 10 月 11 日至 14 日，世界醫師會（WMA）年會在美國芝加哥舉行，中國醫師會無理要求台灣醫師會更名為 Chinese Taipei，否則不同意世界醫學協會 2021 年在北京舉辦年會。台灣雖然暫時保住了名稱，但是前途多舛，因為在相當程度上，Chinese Taipei 的用語已經被合理化，各國多一事不如少一事，讓中國得以咄咄逼人，處處為台灣的地位安身立命。

當總統蔡英文不在意 Chinese Taipei 對國家地位帶來的殺傷力時，台灣要期待其它國家為「中國的台北」之外的一個名詞而仗義直言，甚至與中國正面交鋒，為台灣翻盤，無疑脫離現實太遠，不知強權為何物。台灣自己都不反對 Chinese Taipei 了，別人何必節外生枝？多年來，台灣作繭自縛，國際間一路挨打，咎由自取，也就怨不得弱肉強食。

當柯文哲不倒……　✎ *2018 年 10 月 18 日*

　　台灣的政治情勢走向，根據現有的力量分配與緊張關係看，用一個簡單的方程式來表達，大概不外是既雙邊又交錯的複雜局面：柯文哲（1959-）不倒，民進黨不會好；民進黨不好，國民黨不會倒；國民黨不倒，台灣不會好；台灣不好，民進黨不會好；民進黨不好，柯文哲不會倒。當柯文哲不倒，未來 4 年，甚至 12 年，我們恐怕只能祈求，天佑台灣。

　　台北市長柯文哲目前是一人政黨，沒有黨團的正式組織和結構。[12]如果網路與社交媒體的人氣及認可是個指標，他的幾十萬粉絲人數無疑足以構成一個虛擬政黨，在氣勢上，與國民黨和民進黨平起平坐。至於陣勢，他是否能跟建制的國、民兩黨（包括它們附隨的小黨）三分天下，大概還有待觀察。畢竟，粉絲不一定是選民，追蹤者也未必是追隨者。在臉書上按個讚，比起走上街頭搖旗吶喊，或出門投票，都容易得多，不過動動指尖。

　　柯文哲於 2014 年興起，其實不是白色力量的沛然莫之能禦，根本原因是，一方面，馬英九（1950-）領導的中國國民黨實在太爛；另一方面，蔡英文（1956-）主導的民進黨的確太沒骨氣。

　　藍綠上下交相賊，一般人民，特別是 40 歲以下的年輕人，對建制兩黨不滿、厭煩與反對，求新求變，遂讓柯 P 在政壇上找到一個操作民粹的切入口，左右逢源，傲笑台灣江湖。簡單說，時勢打造了柯文哲，而非他創造了時勢。流星固然光亮，往往一閃而逝。

　　4 年下來，柯文哲引以為傲的一身白袍，以及用來掩飾能力、視野和擔當全都不足的 SOP，已經被台灣的政治染缸，包括柏楊（1920-

---

[12] 柯文哲於 2019 年 8 月 6 日創立台灣民眾黨，出任黨主席。

2008）在《醜陋的中國人》[13] 中所說的那一個大醬缸，染得五顏六色，白色早已消磨殆盡。

論臉色，柯文哲應有盡有，紅、藍、綠、橘，隨機而變，跟中國川劇裏的變臉相去不多。看手段，他自彈自唱，話語從白目變為白賊，目中無人，卻老是把人民掛在嘴上。整體來說，柯 P 搖身一變，由當年的清純素人模樣，演變為熟練的投機政客，老神在在，一副你奈我何的狡猾（我就是不辯論，你拿我怎樣？）。

如果柯文哲屹立不倒，對民進黨而言，的確會演變成柯 P 自己所說的，「養虎為患」。一旦他盤據山頭，坐地為王，形成一股替代建制的第三勢力後（現有的小黨，如時代力量或親民黨，大致成事不足敗事有餘），民進黨想直搗虎穴，可能得傾全黨之力，南北夾殺。到頭來，民進黨傷敵一千，自損八百，鷸蚌相爭，讓國民黨盡收漁人之利。

台灣的所有政客，至少在枱面上有頭有臉的政治人物，例如國民黨的馬英九、吳敦義（1948-）和朱立倫（1961-），或民進黨的蔡英文與賴清德（1959-），甚至陳水扁（1950-），到無黨無派的柯文哲，他們的共同點是缺乏德國社會學家韋伯（1864-1920）所說的雙重倫理：信仰倫理（如主權至上）與責任倫理（如捍衛吾土吾民的職責）。這兩種倫理並不相互排斥，反而互補互乘，兼具如此倫理擔當的政客，在信仰上，毫不模稜兩可（說一不二的中心思想），在責任上，以越此一線即無死所，承擔最後結果（雖千萬人吾往矣的果決）。

就中國國民黨的立場來說，「九二共識，一中各表」既是全黨上下的主張，「一個中國」包括大陸地區和台灣地區，或許無可厚非；台灣只是個地理名詞（無關主權和自主地位），屬於中國國家管轄的一個省分，勉強也說得過去。

在這種信仰之下，不入虎穴焉得虎子，國民黨大可向中國共產黨公開提出修改後者憲法、開放黨禁的政治要求（中共說過，只要接受一

---

[13] 柏楊（1985）。《醜陋的中國人》。台北：林白。

中，一切好談），揮黨過海峽（揮軍已不可能），在中國政治棋盤上，再次與共產黨逐鹿中原，並接受人民的選擇。到底，國民黨在 1949 年前曾經是大陸地區的執政黨，國共內戰後無疑被中國人民以武力唾棄。

不幸的是，在台灣地區，國民黨的黨名雖然掛著「中國」兩字，過去幾年的所作所為，從馬英九以降，卻只落得中共附隨政黨的卑屈角色，一些黨、軍大員如連戰（1936-）、許歷農（1919-）和郝柏村（1919-2020）等都已成了中南海的上賓，追隨的學者和專家也連帶飛上枝頭。

在朝貢／共之路上，國民黨人絡繹不絕，就信仰和責任倫理道德來看，不知今夕何夕，未免愧對當年拋頭顱灑熱血的列祖列宗，還苟延殘喘於海島之上。

國民黨不倒，只要朝共的現象一日存在於台灣，並以台灣主權與人民當家做主為祭旗，中國的幽靈與其代理人勢必在島內流竄，民進黨的統治終究要面對統獨分裂的難題。不談軍事力量的不對等，一個分裂的台灣（統派團體、個人與媒體和五星旗招搖過市），相較於信誓旦旦要統一台灣的中國（有誰敢在天安門為台灣獨立插旗），前者顯然處於挨打的劣勢。

海峽兩岸的現實是，習近平（1953-）主席虎視眈眈，蔡英文總統卻只想「維持現狀」。她的說法不過是向強權低頭的含糊托詞，既難以明確表達內外現狀是什麼，又如何維持，更推卸作為國家領導人應有的政治願景與膽識。

黨主席畏首畏尾，民進黨也就乏善可陳（有貪生的將領，就有怕死的小兵）。民進黨不好，柯文哲之流的騎牆政客難免以似是而非的論調（兩岸一家親），爭上牆頭笑罵台灣，甚至踩在台灣人身上，拱手讓出腳下的一片土地。台灣歷史上，不乏親痛仇快的悲劇。

看門狗不咬主人，走狗難說[14] ✎ *2019 年 12 月 10 日*

「台客名嘴」羅友志（1972-）2019 年 11 月 30 日於臉書上透露，一位「主委」在一次記者會上，當著全場記者對他說：「人家都請你吃兩次飯了，你還罵他？」他立刻回答，「羅友志只值兩餐飯嗎？」這真是大哉問，一針見血，大概會觸動不少名嘴的神經，心有戚戚焉。

羅友志反問，關鍵不在「主委」和請吃飯的人是誰，而是對方有眼不識泰山，不知他是何方神聖。在日常生活中，請客吃飯，人之常情，不值得大張旗鼓。在政治圈，跟某某人吃了幾次飯，也不過是台語口頭上「食飽未」的具體行為，並非見不得人的顯規則。名嘴如此，學者應也半斤八兩。

深一層看，羅友志質疑的是一種潛規則，涉及政治人物與記者或學者吃飯或杯觥交錯的意涵。簡單說，前者預期什麼？後者又該如何回報？兩者如果等值，最好是吃人一口，還人一斗，政客與記者搖身一變，成為難兄難弟或姐妹淘，賓主盡歡。共生關係一旦形成，相濡以沫，利益盡在其中，自不在話下。

從台灣戒嚴時期到目前，記者而優則仕，何嘗不是學而優則仕的翻版。由早期的吳敦義（1948-）到近期的桃園市議員黃敬平（1973-），他們都當過記者，由中國國民黨推薦從政。狗不咬主人，看門狗自不例外。在台灣，野狗到處可見，新聞界的看門狗也滿街跑，至少常在電視上搖頭擺尾。

羅友志當然不只值兩餐嗟來之食，其實，台灣跟他一樣的名嘴或名筆，CP 值（功能與價格）都超過兩餐飯的份量。至於他們一斤要多少錢，大概很難有定價。吃人嘴軟，酒足飯飽後，一般人說起話來，難免

---

[14] 本文部分根據 2019 年卓越新聞獎評審團主席的話改寫，無關卓越新聞獎基金會與 22 位評審。

跟主人一鼻孔出氣。有些名嘴／名筆也相去不遠，在親中媒體上，為特定政黨辯護，卻以「無黨籍」標示身分，恐怕是此地無銀三百兩。

在台灣，所謂名嘴／名筆，算得上是美國的 pundit（專家），大多都當過多年新聞記者（資深媒體人）。基本上，他們不再是美國的 journalist（新聞記者），開口閉口，依據的很少是第一手消息，幾乎全是網路的二手資料（看手機或平板電腦侃侃而談），或根據已知，捕風捉影（以「據了解」，掩飾想當然爾的爆料意見），推斷未知，節目過後往往不見下文，少了反思批判。

不論名嘴或名筆，本身就是一個品牌，有名斯有財，反之亦然。他們當然不會公開反思，更不可能以今日之我，否定昨日之我。言而無信，誰還聽他們口沫橫飛？他們販賣的是商業言論，保鮮期很短，賞味期一過，概不負責。

意見，沒有對錯（除非是高壓下定於一尊的「標準」答案），只有好壞（見人所未見或逞口舌之快）。新聞，針對的則是事實，存在與否，黑白分明，不能指鹿為馬。不論是新聞或意見，在第一時間內的查證與批判性思考，都不可或缺。先發制人，頂多是笨鳥先飛，終究不如蒼鷹，眼明手捷。

因為是種想像和思考創作，犀利或一新耳目的見解有時足以引人深思，帶動社會風潮，名嘴／名筆而成為意見領袖，或許可以在市場上待價而沽，論斤秤兩。新聞不能無中生有，更有時間緊迫性，記者無法兜售於街市。比起意見，新聞既非奇貨可居（獨家醜聞是另外一回事），也就不太可能在黑市或暗室交易。

名嘴／名筆有價，一個比較現實又極富爭議的具體例子，牽涉者有黃光芹（1965-）與韓國瑜（1957-）和李佳芬（1963-）夫婦，2019 年 4 月他們為了《跟著月亮走》這本書的 150 萬版稅誰屬，反目成仇。塵埃落定，徒留一個引人入勝的公案：如果李佳芬不貪圖蠅頭小利（畢竟她家的砂石廠曾日進斗金），黃光芹是否還會對韓國瑜窮追猛打？

記者和名嘴都是人，也要在柴米油鹽醬醋茶中打滾，雖然不事物質

生產，本身不是垃圾，更不會是台北市長柯文哲（1959-）口中的藍綠垃圾。從 2020 年總統大選看，各種不負責任的新聞和言論滿天飛，不可否認，記者和名嘴都製造了不少話語垃圾，更糟糕的是以「你儂我儂」的共生遊戲規則，替權貴和財勢包裝政治垃圾。

在演藝圈，如果潛規則是以身材和美貌，做為起跳價碼的底線，在政論場域，名嘴的身價大概是經歷和口才，最好有固定地盤，還要伶牙俐嘴，即使信口雌黃，也得大氣不喘，姿態悠雅。從現有檯面看，能符合這些條件的男女名嘴不多，也難怪少數名嘴不斷趕場，像走馬燈，這方唱罷，彼方登台。

在 2020 年總統大選期間，國民黨候選人韓國瑜市長不斷指控台灣有「黑韓產業鏈」，而且以新聞行業為首，包括寄生的名嘴／名筆。任何行業要構成產業，至少得有市場，由生產到消費，從批發到零售，環環相扣。如果新聞界有「黑韓工廠」，不論是老闆或第一線記者，他們成天念茲在茲的，不外如何研磨墨汁，隨時隨地往韓國瑜身上潑墨。

這種指控茲事體大，一竹竿打翻一船人。演藝圈的價碼即使有一本花名冊，可能如人飲水。就算新聞界有政治人物欽點的御筆或喉舌，大概也是市場交易的不成文規定，或者由法律定奪（政客告名嘴的誹謗代價），沒人能自抬身價或漫天要價。殺過幾年豬，就想當獸醫，豈止荒誕，簡直不知好歹。

從記者到名嘴，他們加入新聞行業，是個人的自由選擇，在意見的自由市場裏，來去自如。就身分認同來說，他們若非台灣人，就是中華民國人（有些會堅稱自己是中國人），台灣是安身立命的地方。一樣米養百種人，他們先是自由人，然後才是記者／名嘴。自由人做自由事（包括作踐自己），更何況台灣是個民主自由的國家。

一個自由社會的最起碼特徵，美國諾貝爾經濟學得主 Milton Friedman（1912-2006）在經典著作 *Capitalism and Freedom*（1962）中指出，只要基於勸誘或說服，而非武力或其它恐嚇方式，任何個人都可以公開提倡，並宣傳社會結構的激進改變（例如台灣統一在中國共產黨獨

裁體制之下），就算自己最終可能因現有政治制度被取代，而斷送自由，也不應受他人干涉，個人必須為言論自由承擔終極後果。

在海峽兩岸關係日趨緊張的局面下，台灣的記者／名嘴如果錯把馮京當馬涼（誤以為中國記者跟台灣記者沒什麼兩樣），利用新聞和言論自由，服務於中國的政經利益，即使師出有名，難免降格以求，又合理化中共主宰媒體的不合理操作。看門狗被馴服成哈巴狗，甚至異化為走狗，無疑是台灣新聞界的悲劇。

在德國社會學家韋伯（1864-1920）看來，[15] 他們不但缺乏信仰倫理，更不知責任倫理為何物。前者，讓他們無法明辨，中共高於一切，對人性和人權的無形摧殘；後者，讓他們無法直視，民族壓制民主，對台灣生活方式與人民生命的有形傷害。台灣自由民主化的弔詭，莫此為甚，也是新聞界難以超越黨派色彩的主要原因。

這種「唯黨是從」或「吾黨所宗」的偏差，多少也出現在 2019 年卓越新聞獎的參賽作品中，顯得格格不入。如果看門狗無法以超然的新聞報導與評論，批判牆頭草政客，如邱毅（1956-）、吳斯懷（1952-）與葉毓蘭（1958-）等的無知、無理與無恥，反而沆瀣一氣，劣幣難免驅逐良幣，推到極致，新聞界互相比爛，又向下沈淪。從台灣到美國，上自老闆，下至記者，媒體與邪惡的距離，不過一步之遙。

卓越新聞獎於 2002 年設立，2019 年邁入第 18 年，比起 100 多年的美國普立茲新聞獎（1917 年創立），18 年不算長。路遙知馬力，純粹從里程來說，前者才起步，後者已經行了萬里路，兩者恐怕難以並駕齊驅。不論量或質，台灣新聞界還有很長一段路可走。

新聞行業不是製造業，而是服務業，以服務人民當家和社會正義為志業。新聞與評論的好壞，除了彰顯記者個人的倫理執著，更檢驗新聞界的有所為與有所不為。過去一年，台灣新聞媒體與記者個人，由於意識形態的干擾，尤其是 2020 年的總統大選，在報導和評論上，顯得非左

---

[15] 見 Michael Joseph Smith (1986). *Realist thought from Weber to Kissinger*. Baton Rouge: Louisiana State University Press.

即右，為特定的政治立場和商業目的，劍拔弩張，撻伐之聲不絕於耳。

在這種情況下，台灣新聞界偏離「不黨、不賣、不私、不盲」的原則，已是不爭的事實。從 2001 年香港《壹週刊》進入市場後，台灣媒體生態已發生巨大變化，狗仔文化當道。因為營利導向，有些媒體、記者和名嘴已不在乎新聞及評論的社會使命與品質良窳。換句話說，並非所有的媒體與記者，都會向卓越新聞的掌聲和人民的噓聲低頭。

不管是理論或操作，民主國家的一個基本共識是，新聞媒體是社會公器。不幸的是，在台灣，新聞媒體已不敵社交媒體，更何況人人可以是公民記者，個個是狗仔，新聞已真假難分，意見滿天飛，名嘴橫行於新聞與意見的模糊場域，語不驚人死不休，唯恐天下不亂。

100 年後，不論以什麼形式屹立，只要台灣還保有自由民主的生活方式，卓越新聞獎應會照樣頒發，後人也許會回顧今人的所做所為，特別是有關 2020 年總統大選的報導與評論。千里始於足下，這一代對新聞報導與評論的獨立自主，以及操作倫理的堅持，無疑是未來世代台灣民主社會持續與否的一個重要起步。

畢竟，台灣再自由民主，也強不過媒體在新聞報導與評論上，任意踐踏真理和正義；公民社會再獨立自主，也勝不過媒體向強權與財勢屈膝。

民進黨以管窺天，言行不正常　*2019 年 12 月 20 日*

　　民主進步黨立法委員管碧玲[16]（1956-）2019 年 12 月 12 日說了一句「高雄人對不起台灣」，不論事後再如何合理化，顯然並非無心之過，也不是無知或傲慢，在深層意義上，有點「此路我開」或「逆我者死」的霸道思維，反正高雄人不知好歹。管碧玲當過教授，如今成為過街老鼠的政客，誰曰不宜？

　　在民進黨 2020 年不分區立委候選人名單中，管碧玲排第九，連任應該不成問題，一旦她繼續口出妄言，高雄人恐怕也拿她沒辦法（言論自由不足以入罪）。管碧玲固然是民選議員，竟然無感於民意不是黨意，更不是官意，反而打著台灣旗幟，指責高雄人，儼然以中央壓制地方，以大欺小，視高雄選民如草芥。

　　不論出自什麼動機，從發大財到對陳菊（1950-）不滿，高雄選民有十足權力選出他們認可的市長，89 萬多的人不可能全部是盲目笨蛋，莫名其妙的選出一個草包。即使人算不如天算，韓國瑜（1957-）當選後的作為不如市民預期，生米煮成熟飯，也輪不到管碧玲替天行道，冷嘲熱諷。高雄人必須承擔終極後果，跟草包長相左右，卻沒道理向全體台灣人道歉。

　　管碧玲逞口舌之快，突顯的不是高雄人欠缺政治智慧，而是她自己的常識和知識須要多加檢點，至少不妨面壁思過。台灣人民行使自由民主的選舉權力，從來就不需要向其他人負責，尤其是對執政黨，後者倒是必須為前者負百分之一百的責任。

　　有什麼樣的政客，就有什麼樣的政黨，民進黨如果縱容管碧玲的狂妄，無異以管窺天，言行不正常。

　　言行不正常，依美國 2017 年諾貝爾經濟學獎得主 Richard H. Thaler

---

[16] 管碧玲獲得國立台灣大學政治學博士，曾任國立台北大學副教授。

（1945-）在 *Misbehaving*（2015）書中的論點，就是行為不當
（misbehaving），個人所作所為，不但不符合經濟學理論中理想行為的
模式，又不自知，得過且過。在 Thaler 看來，行為不當往往發生在我們
日常生活中，不易理喻，也談不上得理不饒人。

　　把個人行為不端／不檢，放大到政黨身上討論（政黨畢竟由一群人
組成），在目前妾身未明的台灣，對國家未來走向，民進黨與中國國民黨
都言行不當，就算不是獨斷獨行，多少也反民主，兩者全是鴕鳥政黨，
不折不扣，差別只在誰的頭埋在沙裏更深，屁股翹得越高，丟人現眼。

　　就國家定位來說，國民黨的一中各表根本不被中華人民共和國接
受，「九二共識」已變成一個中國的緊箍咒，猶執迷不悟；民進黨的維
持現狀不過掩耳盜鈴，躲在中華民國台灣的虛假符號背後，還自欺欺
人。大黨如此，其它小黨就更乏善可陳，在形式上，親民黨、時代力量
和台灣民眾黨也許有模有樣，頂多聊備一格。

　　民進黨言行不正常，甚至目中無人，當然跟暫時一黨獨大有關，與
國民黨以往操作「黨國」，頗有異曲同工之妙。

　　在 2020 年總統大選中，民進黨打著自由民主的大旗，以敵我劃分
所有的反對力量。國民黨面對民進黨的進擊，毫無招架之力，還被逼到
自由民主的對立面，落居下風，簡直是台灣民主社會的不正常現象。推
到極致，難免再度出現主政者的想法成為主宰社會的想法，這將是台灣
的悲哀。

　　沒有人會堅持國民黨和民進黨不能隨世代改變，或不能跟國際局勢
的變化與時俱進。但是，國、民兩黨若為短暫的權勢利益，並以台灣的
獨立自主做抵押（親中或親美），把黨魂和國格雙雙拋棄（如國民黨和中
共眉來眼去），弄得面目全非，大概就不是政黨競爭應有的格局。一個
不像樣的在野黨，必然造就一個不成材的執政黨，反之亦然。

　　台灣自從 1987 年解除戒嚴與 1996 年民選總統後，民主、自由、開
放和正義多少已是社會共識和核心價值。不然，從中央到地方各級選舉
的人民參與，以及波特王拒絕向中國政經壓力低頭的骨氣，就毫無實質

意義。在這種共識與價值體系下，沒有任何人、團體或政黨可以獨佔道德高地。

國民黨未能站在自由民主的共同基石上，在與中國交鋒時，對中華民國或台灣的國際身分曖昧不清，畏首畏尾，猶抱琵琶半遮面，甚至委屈求全，以換得北京首肯的一些外交空間（邦交國盡多彈丸之地）。正因為國民黨遙望中共，又不惜亦步亦趨，民進黨才得以在中華民國台灣的虛擬符號下，予取予求，大作文章。國民黨畫地自限，也就難怪民進黨得寸進尺。

理由無它，台灣的自由民主在解除戒嚴後，已經實施了 30 多年，總統直選也 20 多年。在現實生活裏，這樣全面長期操作的結果不會顧此失彼，自由民主如果是一碗飯（民主還是可以當飯吃的），不可能讓一半台灣人整碗捧去（不管是哪一半），另一半台灣人則望梅止渴。

選舉有輸有贏，只要符合程序正義與機會均等，候選人可以憑魅力或想法說服選民，輸贏如何，並不構成譴責選舉的正當藉口，特別是結果不如人意，如 2018 年國民黨台北市長候選人丁守中（1954-）興訟敗訴。

敗兵之將不足以言勇，民進黨在輸掉高雄市後，除了痛定思痛，沒有任何理由責怪支持韓國瑜的選民不知輕重。管碧玲的話語也許是個人行為，一葉知秋，多少反映出民進黨在 2018 年九合一選舉挫敗後的鬱卒、心虛，以及 2020 年總統選舉形勢看好的志得意滿。說穿了，這是台灣許多政客的共同毛病，站在權力高峰時，就目空一切，忘了上台總有下台日，毫無謙卑之心。

根據 BBC 2019 年 12 月 15 日報導，美國前總統歐巴馬（Barack Obama, 1961-）說，世界上的許多問題都出自各國領導人不知何時下台，其中絕大多數是老男人，霸著權力不放。歐巴馬應該不會以年齡或性別論英雄，而是對政治現實有深刻感受。

官場權力的確隨歲月增長，年紀越大，因為經驗或小圈子關係，權力就相對膨脹。權力使人腐化，政客權力越大，越容易戀棧，腐化的指

標之一是尸位素餐，也就是占著茅坑。

　　歐巴馬的說法也適用於台灣，還相當傳神。天那麼大，江山代有人才出。國、民兩黨都有一群大老，垂垂老矣，其實可以頤養天年了，卻還霸占著黨政要位。

　　這是台灣政壇的不正常現象，最大原因是大老們行為不當，總以為黨沒有他們，就成了狐群狗黨，國家沒有他們，天就塌了下來。以管窺天，或者英文中的隧道視覺（tunnel vision），不過一孔之見而已。

藍色的憂鬱：KMT 一代不如一代　　*2020 年 3 月 17 日*

中國共產黨總書記習近平（1953-）2020 年 3 月 10 日到湖北省武漢市，考察肺炎疫情的防控，對醫護人員說了一段肉麻的話：「你們都穿著防護服，戴著口罩。我看不到你們的真實面貌。但是，你們在我心目中都是最可愛的人！」

習大大面對著電視螢幕，說得好聽，卻拒人千里，這些醫護人員有多可愛就不難猜測。可不可愛，很主觀，也很廉價。中共一黨獨大，而言論又定於一尊。國家主席的話語在中國人民心裏，至少在武漢居民聽來，到底有多少可信，恐怕要打點折扣。

隔著大海，台灣人其實很難感受習大大的心境，一堆藍綠名嘴、學者和專家卻強做解人，在電視或報紙上，替習近平圈點眉批，煞有其事，特別是兩岸關係。

中國國民黨新任主席江啓臣（1972-）2020 年 3 月 7 日成為百年老店最年輕的當家，跟往例不同，習近平並未以中共領導人名義，在短時間內拍發賀電，僅由中國國台辦發佈簡短的新聞稿，輕描淡寫，重彈「堅持九二共識、反對台獨」的老調，了無新意。牛從台北牽到北京，也還是牛，反之亦然。

幾十年來，中共對台灣的立場一以貫之，誰說話，也許輕重有別，卻從來不曾偏離基調：中國與台灣上下從屬，而非各自獨立。一些名嘴，如黃創夏（1965-），倒是認為，不管有意或無意，習近平對國民黨的世代交替保持距離，有點像是肺炎來襲自我隔離，未嘗不是好事。這種看法頂多隔靴搔癢，更可能是瞎子摸象。

從一些相關事證推敲，習總書記對江主席置之不理，怎麼看都不會是好事，而是一種「藍色」的憂鬱，某種蓋棺論定的表徵。這種病癥不會僅是江啓臣的個人麻煩（習大大不把他當一回事），也是國民黨的社

會問題（在一中原則的政治舞台上，國共兩黨再也難以平起平坐，即使是象徵性的假象）。

江山代有人才，各領風騷。江啓臣以 48 歲的年齡出掌台灣的中國國民黨，無疑登上政治生涯的高峰（立法委員兼在野黨領袖），在黨史與名目方面，與蔣介石（1887-1975）、蔣經國（1910-1988）、李登輝（1923-2020）、連戰（1936-）、馬英九（1950-）、吳伯雄（1939-）、朱立倫（1961-）、洪秀柱（1948-）與吳敦義（1948-）並列，一脈相傳，算是權傾一時。

在國共兩黨領導人的對弈之間，折衝之下，大概從連戰起，國民黨主席的歷任作為卻每況愈下，一代不如一代，逐步落居下風，甚至被中共收服（如洪秀柱的一中同表），只差沒俯首稱臣。初登台，在北京看來，江啓臣大概還得觀察一番。

在習近平心目中，江啓臣很可能一點都不可愛，自然也就沒有愛屋及烏的連帶情感，原因大概不外是，一，江主席個人的成分不足，習總書記興趣缺缺；二，國民黨的集體利用價值不再，共產黨無利可圖。

就個人來說，純粹從數量看，江啓臣的鬱卒不難理解。以 2020 年 1 月為準，國民黨具有選舉權的黨員約 26 萬，江啓臣以 8 萬多票當選主席，勉強占全體黨員的三分之一，比起韓國瑜（1957-）競選總統得票的 552 萬（台灣還是有相當多的人支持國民黨），不到 1.5%，形勢比人強，簡直是小巫見大巫。

不論是黨員或一般人民，國民黨的支持者大概有不少稱得上死忠或愚忠。愚忠沒有對錯，只有好壞。前總統府副秘書長羅智強（1970-）應該是典型，即使馬英九的支持度跌到 9.2%，依然不離不棄，一再矯情的以他為傲，無視絕大多數台灣人已然對馬英九不再抱持太多指望，千夫所指，顯然對羅智強毫無意義。

正因為有一群愚忠（學者和專家算得上）常相左右，韓國瑜也曾風光過，2020 年總統大選期間，前台北縣長周錫瑋（1958-）如影隨形，在卸任後，馬英九也許還以天下為己任，又或許是不甘寂寞，僕僕風塵

於道上，豈只是害怕被掃進歷史的垃圾桶，圖的更是虛幻的歷史定位。他的 766 萬高票終究被蔡英文的 817 萬票比了下去，不免是奇恥大辱。

　　不分政治光譜，愚忠的屬性是無法超然與慎思明辨。在藍粉眼中，任何對國民黨與馬英九的批判（包括本文），都會被認定是民進黨的打手，在這方面，台北市長柯文哲（1959-）運用得爐火純青，或是執政黨文宣／公關標案的得益者，跟卡神楊蕙如同類（1978-）。

　　一竹竿打翻一船人，是一種認證偏差，[17] 愚忠們講不出一番道理，更別提要以理服人，往往透過網路或電子郵件，躲在捏造的帳號後，到處出征（如韓粉），極盡謾罵之能事。他們逞口舌之快，就是不敢責問習近平或中共一聲。

　　對韓國瑜落敗（552 萬支持者都可以是中共拉攏的對象），習近平不曾表態嘆息，沒有一點兔死狐悲的感傷；對江啓臣勝選（比起 2300 萬台灣人民，8 萬個國民黨員不過滄海一粟），習近平又如何可能公開強顏歡笑，展示龍顏大悅。江啓臣的任期只有一年多，螳螂捕蟬，習近平何必傾共產黨力量，為一個短暫過渡的國民黨主席背書？

　　江主席得不到習總書記的眼神關愛，事小；國民黨喪失一個與中共平等的立足點，事大。兩者都跟馬英九有關，江啓臣畢竟不是馬英九，在兩岸關係的論述方面，欠缺膽識，提不出青出於藍或擲地有聲的主張。儘管已經被習近平綁架（九二共識即是「一國兩制」），馬英九好歹還可以在台灣內部，信誓旦旦的販賣自以為是的「一中各表」，睜眼說瞎話，反正是言論自由。

　　臨去秋波，馬英九念茲在茲的是 2015 年 11 月在新加坡的馬習會。兩黨領導人（不可能是兩國領袖）面對面坐下來交談，在化解雙方的認知與操作差異上，多少有點積極作用，海峽兩岸的關係不再緊繃，交流管道大致通暢無礙。不幸的是，馬英九雖然取得與習近平會面的一席之

---

[17]　見 Richard H.Thaler (2015). *Misbehaving: The making of behavioural economics*. UK: Penguin.

地，卻也斷送了台灣的主體性與人民自主權，一步一步的把國民黨帶入死角，終致掉落自掘的陷阱，難以自拔。

從頭到尾，即使不是國共兩黨私相授受，民主進步黨從來不承認九二共識，2020 年總統大選後，這個似是而非的兩岸互動藍圖，恐怕再也難以為繼。習近平早已不把前任主席馬英九看在眼裏，初出茅盧的江啓臣又有多少斤兩。

習近平已經視國民黨如敝屣了，江啓臣難免光著赤腳，不得其門。

中國強大，不必以台灣祭旗　✎*2020 年 4 月 7 日*

　　水漲船高，是一個再自然不過的合理現象。大水沖過來，只要船底沒破，所有船隻都會隨著水位上漲而升高，也許搖晃程度不同，但是船身大小不可能改變，沒有任何證據顯示大船會變得更大，小船更小。這個道理應用於肆虐世界各國的武漢／新冠肺炎疫情，[18]也說得通。

　　發生在湖北武漢的肺炎，由於中國先採取極端手段（封口、封城與封鎖資訊），壓制了疫情的對內擴散，等到各國遭殃後，又對外伸出援手（向一些國家提供醫療人員和防疫資源）。許多學者和專家，如前中央通訊社董事長陳國祥（1953-），因此認為，在控制病毒上，社會主義（在中國是共產黨獨裁專制）遠比自由民主體制來得有效，中國也變得強大，堪以大國與強權地位，擔當世界領袖。

　　厲害了，中國！這種看法簡直是對中國強大意義的認證偏差，與對中國強權職責的荒謬期待，誤把馮京當馬涼，一種錯置的對比，不免一廂情願。

　　國家強大，不必以戕害人權與犧牲生命為代價；強國，也不必以霸權橫行世界為出發點。前者，難免是外強中乾，遲早官逼民反；後者，是虛張聲勢，終究難以為繼。

　　陳國祥等的盲點在於，在武漢／新冠肺炎病毒流竄時，其它國家以符合國情的方法對抗疫情（如美國或英國等強權），即使災情慘烈，死亡無數，為什麼就是自由民主國家的先天缺陷，並突顯集／極權國家的結

---

[18] 以武漢／新冠肺炎稱呼疫情，只在保留這兩個名詞被使用的時間次序與背景，因為概念的出現與使用都有歷史意義和作用。病毒剛在中國武漢出現時，《環球時報》對不明原因的病毒，的確使用武漢肺炎字眼，它在 2019 年 12 月 31 日轉載武漢健委的一項通報，指出「武漢肺炎病例初步檢查系病毒性肺炎，未出現人傳人及醫務人員感染」。世界衛生組織（WTO）於 2020 年 1 月 12 日將肺炎命名為 2019 新型冠狀病毒。

構優勢？

　　美國有線電視新聞網（CNN）2020 年 4 月 5 日以台灣為例，指出民主國家不用嚴厲手段，一樣能控制疫情。再說，歐美民主國家為什麼又會萬劫不復，無法像中國劫後再起，如鳳凰浴火重生？英國女王伊麗莎白二世 2020 年 4 月 6 日在對全國電視演說中表示，後代將會感受到英國對抗疫情的堅強。

　　面對中國興起，從中國國民黨政客到一些親中記者、名嘴如葉毓蘭（1958-）、王又正（1983-）、黃智賢（1964-）等和專家，不乏類似陳國祥的論調和大國情結，更對北京自誇自擂的話語照單全收。天地不仁，中國的強大何嘗不以人民生命為草芥？殷鑑不遠，由官方到民間，中國無疑不曾從慘痛的歷史經驗裏學到任何教訓，悲劇遂一再上演，越演越烈，屍體越堆越高。

　　2002 年 11 月，SARS 爆發於廣東，2003 年 6 月，病毒被遏止。依世界衛生組織（WHO）當年的統計，全球 813 人死亡，其中以中國（348 人）、香港（298 人）和台灣（84 人，台灣官方確定數目為 73 人）最為慘重，占全部人數的 89.8%，包括 17 位醫護人員殉職。到目前為止，光是中國死於武漢／新冠肺炎的人數，就已經超過 3000 多人，更別提世界各國的幾萬人。不分地域和人種，有多少人喪命，就有多少破碎的心靈與家庭。

　　在全球化結構與過程中，國與國間互動，千絲萬縷，牽一髮動全身。不論是什麼名稱，武漢／新冠肺炎先是發生在中國，隨後橫掃世界各地，如秋風打落葉，不過是病毒不分國界的無情現實。從中國到其它國家，病毒侵襲，如海嘯過處，摧枯拉朽，慘不忍睹。對數以億計的無辜升斗小民來說，肺炎其實是一個可以避免的殘酷災難。

　　英國歷史學家 Eric Hobsbawm（1917-2012）在《極端年代》（*The Age of Extremes*, 1994）一書中說，我們世紀的最大殘酷是，體制與常規的遠距決策（remote decision，不是你我的參與）帶來「非人的殘酷」（impersonal cruelties），特別是它們可以被合理化為不幸的操作危急（必要之惡）。放

到武漢／新冠肺炎的情境下，幾乎快 30 年了，Hobsbawm 的話依然一針見血，令人不勝噓唏。

在病毒剛出現於武漢時，基於維持社會穩定（一個合理化的藉口），北京政權隱匿疫情（中共黨國控制社會的根本機制與例行操作），已是不爭的事實。中國的決策影響所及，除了台灣外，世界各國對肺炎的擴散缺乏警覺和準備，導致死亡人數成千上萬（中國也犧牲了幾千人，包括被追封為烈士的武漢中心醫院眼科醫師李文亮等人），還不斷攀升，塵埃尚未落定。這是國家機器殺人的一種殘酷，殺人於無形，蒼生何辜？

殘酷，無關國家強弱，而是對人權的扭曲和踐踏。由超級強權到彈丸之國，不論對自己或對外國人民，各國政權在打天下或建國時，多少都曾殘忍過，以百姓為祭旗，尤其是對非我族類，殺無赦，圖的只是勝者為王與所謂的千秋大業。史冊固然永遠記載勝利者的功勳偉績，但血跡斑斑，不忍卒睹。

在世界大小國家，武漢／新冠肺炎爆發後，屍體擺滿一地（如義大利），各國政府束手無策，特別是貧窮落後地區。中國卻急忙的動員國家宣傳機器，祭出民族大義的旗幟，對內對外，大肆宣稱病毒來自境外，推卸責任，一副事不關己的冷酷。

武漢／新冠肺炎引起中美之間的國際紛爭（罪魁禍首的追究），以及因肺炎稱呼併發的海峽緊張（台灣挑釁中國），兩者的事實／真相如何，未來的歷史學家終究會弄個水落石出，不容狡辯，也耍賴不得。北京可以改寫自己的歷史，卻難以阻止他人據理直書。

肺炎病毒沒有國界限制，貫穿國際或兩岸關係的一個共同因素是中國的角色。北京的內外說辭是，從一開始，中國發揮了強大的決心（封城封省）與領導作用（中共與人民站在一起），包括以中央政府高姿態，大言不慚的強調相當「照顧」台灣人民。至於排斥台灣於 WHO 門外，就別提了。

在國際上，中國成為美國之外的第二經濟與軍事強權，大致有目共

睹，無須爭辯。為了肺炎病毒的起源，中國與美國相互指控，基本上是國際關係中現實主義（realism）操作的必然後果。現實主義者堅信，[19] 不論是硬實力或軟實力，力量是唯一恐嚇、馴服、打擊或壓制對方的不二法門，稍一讓步，便全盤皆輸。

在海峽兩岸關係方面，中國照樣運用現實主義者的力道，以軍艦軍機四周環繞台灣，處處顯露強國吃定弱國的威嚇（更何況在北京眼中，台灣不是什麼國家），擺明的是你奈我何的架勢。再加上北京在台北的代理人（自願或非自願的個人與團體），中國對台灣的直接和間接威脅無所不盡其能，稍一退卻，就顏面全失。

一個強大的中國，不必耀武揚威（軍機到處飛），甚至以鄰為壑；一個弱小的台灣，更不必任人宰割，俯首認命（向一國兩制／兩制台灣屈服）。在北京看來，台灣頂多是 3 萬 6 千平方公里的一塊土地，而非 2300 萬人安身立命的家園。即使用飛彈和炮火夷為平地，台灣依舊孤懸海上，只是紅旗飄揚，寶島不再。

要島，不要人，一向是北京對台北的殺手鐧，十足是「非人的殘酷」。中國再強大，也強不過把台灣人民當芻狗。如果解放軍跨海發動戰爭，以武力拿下自由民主的台灣，為中國民族大義祭旗，豈只是北京的蠻橫，更與人類追求和平反其道而行。

---

[19] 見 Michael Joseph Smith (1986). *Realist thought from Weber to Kissinger*. Baton Rouge: Louisiana State University Press.

誰來教訓韓國瑜市長　✐*2020 年 5 月 23 日*

　　高雄市長韓國瑜（1957-）是民選的地方官員，不論是在網路上或新聞裏，也不管褒貶，他是一個不折不扣的公眾人物，有頭有臉。身在公門，笑罵由人，韓國瑜沒有道理責怪別人說他是草包，尤其是學者和專家的冷嘲熱諷。怕熱，就不要進政治廚房，沒人強迫他當市長。

　　草到底包不住火，2020 年 6 月 6 日罷韓投票，不過是一把野火，燒盡與否，就得看他的造化了。

　　造化往往弄人，政治人物也免不了受自身以外事物（如名利或權欲）的操弄，有時身不由己。2018 年 12 月 25 日，韓國瑜以 89 萬票入主高雄市政府，才當市長一年半左右，就很可能面對被 58 萬票罷免的難堪局面。從 89 萬到 58 萬，不僅是量變，更是質變。主客易位，韓國瑜由一市之長變成一介市民，與其說是天命如此，毋寧說是人民做主。

　　一旦罷免案成立，韓國瑜勢必從不可一世的政治高峰，跌落凡塵。塵埃落定，很多人會認為這是對他的一種教訓（吃碗內看碗外是政治禁忌）；在韓國瑜和韓粉看來，罷韓是政治恩怨莫須有的追殺，特別是民進黨嚥不下一口氣的霸道，民進黨後選人陳其邁（1964-）怎麼可能在陳菊（1950-）主政高雄多年後輸的如此難看？。

　　從要求支持者在罷免投票當天四出「監票或監人」的訴求看，韓國瑜顯然未能經由總統大選慘敗吸取教訓，學習如何尊重台灣人民的政治取捨（552 萬票是他看不到問題所在的盲點），甚至還堅信問心無愧，大言不慚，一副天下非他莫屬的派頭。韓國瑜只有一顆心，不妨問問高雄人更多的心。

　　韓國瑜既然缺乏社會學家韋伯（1864-1920）所強調的信仰倫理（市長對市民負責），不知責任倫理為何物（市長承擔終極責任），也就不足為奇了。作為市長，韓國瑜的市政概念與操作相當虛浮，而且亂開承諾，

事後卻不認帳。從市政府到市議會，他一點也沒有「責任到我為止」的擔當。韓國瑜也許無法懂得美國總統杜魯門（1884-1972）1952 年所說的 "The buck stops here." 的道理，又如何不被人看破手腳？

韓國瑜的困境不在於草包的標籤（是否草包是另外一回事），而在於他的言行舉止為草包提供了可以驗證的內涵。他的回應是，他曾兩次獲選為全國「最優秀大專青年代表」，並出國訪問，怎麼可能是草包？以幾十年前中國國民黨威權體制下的虛幻身分，為目前的草包觀感辯護，前言不搭後語，真不知叫人從何說起。

草包照樣可以出國，一日優秀，也不等於終生秀逸，韓國瑜未免還活在以意識形態定優劣的黨國環境裏。人必自侮，而後人侮之。韓國瑜既然不知自我檢點，或自我反省（吾日三省吾身，對他來說應是一種奢求），有些專家和學者（一群「黑韓」名嘴與記者）自然會對他指指點點，想給他一點教訓或提示（很少人忍得住觀棋不語，尤其是韓國瑜下得一手爛棋）。

韓國瑜大概想像不到，一市之長代表的不光是政治權力來自人民的託付（作之君，當個像樣的領導人，而非假裝當家），更有道德操守為人民表率的期待（作之師，當個像樣的楷模，而非假冒庶民）。

前者，是因為市長在經費運用與人事任命上，有十足的決斷能力，就算韓國瑜花掉全部預備金清除下水道污泥，或任用一批草包，物以類聚，例如高雄市府民政局長曹桓榮（1976-），市民也奈何不了。後者，是因為市長是一個都市的濃縮符號與終極發言人，在形象與人民觀感方面都隱含道德價值，韓國瑜不能任意信口雌黃，甚至用語下流。

以台灣目前的政治光譜與藍綠對立的結構看，可以教訓或想要教訓韓國瑜市長的，大有人在，絕對不在少數。由政黨、團體到專家、學者和更多的其他人，他們無疑都可插上一腳，是否正當就難說了。

民進黨是執政黨，也許會挾持蔡英文（1956-）的 817 萬票（高雄約 110 萬），公開或私下設法在 2020 年 6 月 6 日趕盡殺絕，拔除韓國瑜市長，為陳其邁報一箭之仇。民進黨如果動員，豈止不知面壁思過，簡直

極端傲慢。韓國瑜空降高雄，就以懸殊比數，輕易的擊敗被看好的陳其邁，後者當然難辭其咎。敗兵之將無以言勇，陳其邁不妨分析他為什麼會輸給一個草包？89 萬個選民不可能都有眼無珠。

其實，民進黨與前市長陳菊團隊更應深自檢討，為什麼在她執政 12 年後，高雄選民會接受韓國瑜的「又老又醜」與「發大財」的主張，棄綠投藍？所謂的「南霸天」陳菊難道是民進黨霸道的變相代號或遮羞布？

政壇變天，如此巨大的民意更替，不會只是高雄過半數（53.9%）選民一時盲目或被矇蔽，更可能是民怨長期累積，終於尋到一個可以突破的宣洩管道（韓國瑜碰巧是一個對的人，出現在對的時間），從而教訓民進黨把主宰高雄視為理所當然。

如果韓國瑜被罷免，陳其邁或許可以回頭再參選，一個必須認真思考的難題是，他憑什麼要高雄選民給第二次機會？高雄人或全體台灣人既不欠國民黨，也不欠民進黨。

520 就職後，蔡英文再次執政的潛在後遺症，甚至是台灣政壇的危機，是權力的爾虞我詐，民進黨內鬥自己的心狠手辣，跟外鬥國民黨的力道不相上下。

一些枱面上的民進黨大老，如陳菊（1950-）、蘇貞昌（1947-）、游錫堃（1948-）和謝長廷（1946-）可以在檯面下鋪排人馬，指點 4 年後的江山，包括排除可能的路障（韓國瑜應首當其衝）。反正 4 年後，蔡英文跟馬英九（1950-）一樣，都只是前總統，即使再不甘寂寞，不時說三道四（馬英九是經典），不會有太多人當真，至少韓國瑜會充耳不聞。

韓國瑜蟄伏國民黨百年老店有一段時間，在因緣際會下，異軍突起，不按牌理出牌，打破了國民黨論資排輩的宮廷文化。現任黨主席江啓臣（1972-）依然跳脫不出黨國大老的陰影，以似是而非的理由拒絕出席蔡英文總統的就職大典，彰顯的不是蔡英文作為民進黨籍總統的褊狹（她終究是 2300 萬台灣人的大當家），或是她過去四年一事無成（57.1%的選民並不如此認為），而是他格局太小，被國民黨輸不起的阿

Q 意識綁架，看守店面有餘，成不了大器，獨木更難撐大廈。

由於韓粉無所不在（552 萬遠高於江啓臣當選黨主席的 8 萬多票，又散落各城鎮），不管是否被罷免，韓國瑜有足夠氣勢，揮師北上，直取黨主席大位。形勢比人強，在驗證偏差的情況下，江啓臣不會不知好歹，多少投鼠忌器，不敢動韓國瑜汗毛，要國民黨上下教訓韓國瑜一個人，實在是駱駝過針眼。

罷韓，不論是一場亂局或鬧劇，全是韓國瑜與高雄選民惹的禍。解鈴，還須繫鈴人。成也高雄選民，敗也高雄選民，他們能夠把韓國瑜拱上神壇，自然也可以拉他下馬。畢竟，選票是台灣人民能夠逼迫政治人物低頭的唯一有效利器。

高雄選民 2020 年 6 月 6 日如何收拾殘局，在在是藍綠政客必須嚴肅記取的教訓：民意如流水，可以載舟，亦可覆舟。問題只在於，政客是否能在選民的政治智慧與投票判斷中學到一點親身或二手經驗。

當韓國瑜從市長變成市民後，對他，也許是執迷於天命的無情棒喝。否則，他的氣焰勢必再度燃起，野火燎原，一路由南而北，火勢席捲而過，燒焦的大概不會只是國民黨的一中各表派，也可能是民進黨的獨派。燒到底，玉石俱焚，得利的是中共的中國派。

誰來取代民進黨？！　✐*2020 年 8 月 18 日*

　　高雄市長 2020 年 8 月 15 日的補選已成歷史，真正的意義在於，不是陳其邁（1964-）大勝李眉蓁（1979-）與吳益政（1963-），也不是民主進步黨大敗中國國民黨和台灣民眾黨，而是中央的執政黨在地方上輕易的痛擊在野黨，扳回一城。

　　短期來說，執政黨奪回失去的地方政權，對台灣的兩黨政治未必有好處，長期下來，更可能對台灣的民主自由帶來無可逆轉的壞處。前者，是陣痛，一時難受；後者，會是常年慢性病，要死不活。

　　高雄政權輪替，是一場赤裸裸的權力爭奪，無關地方的長治久安。民進黨要兩年拼四年，口號動聽，操作起來，如何可能避免動盪不安，特別是市議會的多數國民黨嚥不下這口氣，磨刀霍霍？由 2022 年到 2024 年，如果執政黨挾持現有氣勢，橫掃全國與地方，台灣的民主政治勢必出現朝大野小的弊病。

　　不論誰當家，朝大，野小，自然權傾一方，毫無交集的空間。民主政治是一種妥協的藝術，在國計民生與海峽關係方面，國民黨與民進黨不應堅持各走極端，反其道而行，而是相會於半途，再思考如何跨黨派走下一步。妥協，不是整碗捧去，而是各取所需，再截長補短。妥協，不僅是反霸權，一種內在權力的節制，也是反霸道，一種外在觀感的克制。

　　當蔡英文（1956-）總統／主席說，民進黨要謙卑、謙卑、再謙卑時，全黨上下根本不知謙卑所為何事，謙卑不必由領導人掛在嘴上。口說無憑，也太廉價。謙卑是，立法院和監察院不必非得游錫堃（1948-）與陳菊（1950-）掌權不可，他／她卻如入無人之境，輕騎過關。謙卑是，重要法案不必只在一面倒的甲級動員下才能通過，民進黨卻大軍壓境，強渡關山。

在中央與地方選舉過後，謙卑是，民進黨勝了，向人民的掌聲低頭，不耀武揚威，或不可一世；謙卑是，國民黨敗了，向人民的噓聲低頭，不必懷恨在身，或吃裏扒外。面對選民的教訓，政黨不向人民低頭，都是傲慢，一種腐化的開始。

魚之腐爛，從頭起。

執政黨一旦持續坐大，民進黨中央集黨、政大權於一身，無人能駕馭，地方的黨機構就不免占地為王，坐地分贓。相對而言，在野黨如果持續萎縮，國民黨或民眾黨中央權力分散，無人能領導，地方黨員便難免潰不成軍，四處挨打。

不管哪種情況，天下烏鴉一般黑，執政黨與在野黨以各自的形式和內容雙雙腐化，甚至相互比爛，一路爛到底，最後付出代價的終究是2300萬台灣人民。

兩黨體制當然不是最理想的民主政治形式，在沒有更好的機制下，比起唯我獨尊的一黨專制，畢竟要好得多。不提對岸的中國，台灣以往的威權體制所造成的生命和財產傷害，歷歷在目。很多人在討論台灣的各種選舉時，往往忽略了在 1996 年總統直選後，選民所面對的抉擇已是兩黨政治的更迭，如假包換。

基本上，從中央到地方，歷年來，選民投票的局面，是國民黨對決民進黨的態勢。其它小黨，由早期的新黨、台灣團結聯盟和親民黨，到近期的時代力量和民眾黨，縱使在立法院、縣市長及議會的選舉，各有一席之地，但都不成氣候，更別提要蔚為風潮了。

如潮汐起伏，黨起，黨落，可以分食的政治大餅有限，台灣的政壇已無小黨的運作和生存餘地。新黨、台聯和親民黨如今安在？即使是時代力量，尚未根深柢固，就從頭爛起了。在柯文哲（1959-）領軍下，民眾黨無疑不再新鮮，只差還沒聞到腥味，從上腐爛，恐怕也是遲早而已。

不論一般人再如何賭爛國民黨，再如何厭惡民進黨，再如何唾棄兩黨惡鬥，台灣的兩黨政治如果要有任何實質意義與作用，我們不得不要

求它們好自為之，更不能把賭注全押在小黨身上。時代力量或民眾黨成事不足，敗事有餘。既然民進黨是執政黨，愛屋及烏，關心台灣政治走向的學者、專家和其他人對在野的國民黨有所期待，應不為過。

不幸的是，在過去幾次選舉中，由韓國瑜（1957-）大起大落，到李眉蓁小鹿亂撞，國民黨豈止自亂陣腳，簡直荒腔走板，從頭到尾，被民進黨打得鼻青臉腫，甚至趴在地上，猶不知所以然。無論立法或行政，民進黨鯨吞蠶食，予取予求，自是在野黨怠忽職守。國民黨連打個群架，都像是演戲，幾乎是花拳繡腿，不堪一擊。

有不爭氣的在野黨，就有不成材的執政黨，反之亦然。

歷史已遠，我們不必再追究前因後果，不管好壞，一個不爭的事實是，70年前，國民黨在中國失敗，成就了中國共產黨，把大好的神州江山拱手讓人。70年來，國民黨在台灣失敗，造就了民進黨，又與中共糾纏不清，它最後是否會把美麗的寶島拱手讓人，尚在未定之天。

過去幾十年，國民黨除了隨民進黨與共產黨的作為打轉外，一直拿不出一套能令台灣人民信服的政治論述（九二共識已是神話和笑話），它到底要把台灣帶向何處？

作為在野黨，如果國民黨向民進黨的台獨主張靠攏，也許符合主流民意，台灣人民卻不需要多一個為執政黨搖旗吶喊的政黨（看看台聯）。作為台灣的一個政黨，如果國民黨向中共的統一野心投靠，台灣人民根本不會要多一個為中共侵略鋪路的政黨（想想新黨）。

就執政黨與在野黨的國家認同取捨來看，海峽兩岸的政治現實是，中國已不屬於國民黨的天下，難以再逐鹿中原，台灣也非民進黨莫屬，無法為所欲為。台灣與中國之間一個可以理解的邏輯關係是一種零和遊戲，台灣多一點，中國就少一分，反過來也一樣，沒有模糊的地帶。

在可見的未來，如果國民黨有機會再取代民進黨，整個過程不應是想盡辦法，包括與中共掛勾，內外聯手消滅民進黨，而是做一個認真的在野黨，讓民進黨成為一個像樣的執政黨，彼此為台灣人民的自由民主承擔終極責任。

　　國民黨不妨高築牆，廣積糧，厲兵秣馬，以待來年，再與民進黨一決雌雄。中國共產黨當然虎視眈眈，隨時想取代民進黨。在台灣，一旦民進黨被中共取代，覆巢之下，國民黨別想要當執政黨，恐怕連一個在野黨的地位都難求。

美國豬，大於台灣人民　✎2020 年 12 月 28 日

台灣進口美國含有萊克多巴胺的豬，塵埃落定，2021 年 1 月 1 日正式開放，民主進步黨終於完成美國萊牛萊豬在台灣銷售的最後一塊拼圖，牛排與豬排在菜單上共襄盛舉，吃不吃千萬難。

在中國國民黨看來，美國「毒豬」大舉入侵台灣，民進黨難辭其咎。面對萊豬壓境，台北市長柯文哲（1959-）2020 年 12 月 25 日表示，他一直無法理解民進黨政府的腦袋在想什麼。聰明如柯 P 都摸不著頭緒了，一般人難免霧裏看花。

其實，只要從個人、組織到國家之間的幾個層面分析，萊豬事件不難理解。癥結大致不是美國豬，而是豬背後的龐大國內外政經勢力，台灣政客騎豬難下。

第一，萊豬是否應該進口，不是台灣民主程序可以有效解決的難題，更談不上是社會正義，它是國內外政治角力的冷酷對決，一種豬事體大的荒誕。推到神豬的地位（不拜不行），美國豬遂大於台灣人民。豬事不順，談不上主觀意願。

從美國到台灣，兩黨政治追求的是權力大小。這是現實主義（realism）的核心信念，誰的政經力量大，誰就可以決定遊戲規則，球員兼裁判，讓對方毫無還手的餘地。

在美國，不管是共和黨或民主黨，一旦萊豬叩關，都不會放棄對台灣施加壓力，特別是後者多少還需要前者在兩岸關係上撐腰。無論說辭如何動聽，從馬英九（1950-）總統到蔡英文（1956-）總統，他／她被迫讓步，只是早晚而已，其間的差別頂多是五十步笑百步。不幸的是，他／她都以今日之我，否定昨日之我，又自以為站在道德高地，處處為台灣社會或人民著想。

在台灣，民進黨挾持立法院最大黨力量，強渡關山，支持萊豬進

口，不過是兩黨政治的現實操作（不能妥協就只好表決），也許正當性不足，但無關程序的合法性，更難說是多數暴力。當年國民黨何曾不以人多數眾的架式，霸王硬上弓，通過萊牛進口。此一時，彼一時，國民黨擋不住萊豬，只能怪自己的國會席位不夠多，讓民進黨予取予求，以其人之道，還治其人之身。

第二，不是民進黨政府的腦袋在想什麼，而是蔡英文總統的腦袋究竟起了些什麼變化。從在野到執政，她對台灣社會與人民生活的認知和感受如何由外顯而內隱，導致在萊牛及萊豬上前後言行的乖張？雖然大小有別，豬牛畢竟是畜生，她怎麼取捨輕重？

民進黨政府是個組織，組織本身不會思索，只有構成組織的人能思考，尤其是核心成員。從頭到尾，萊豬進口是國與國之間的大事，能夠推動與拍板定案的終究是蔡英文（不然她當什麼總統？）。由萊牛到萊豬，美國步步進逼，不變的是美國政府與萊克多巴胺，變的倒是蔡英文。從當年反對萊牛到現在支持萊豬，牛豬變色，她到底遭受了美國什麼威脅利誘，宣稱國家目的大於人民利益，不惜與台灣人民為敵？

第三，萊豬不是吃不吃而已，更有社會觀感，特別是政府是否在乎人民的健康，亦即道德承擔。當權者以百姓為芻狗，最是官員信仰倫理和責任倫理的敗壞，人民只能自求多福。

沒有誰可以強迫其他人吃豬肉，口腹之欲，最終選擇畢竟落在消費者個人身上。不管劑量大小，如果萊豬真如蘇偉碩（1969-）醫師所一再堅持的是「毒豬」，放任「毒豬」進口，就代表政府在政策執行上，不以人民的福祉為終極依歸。即使人民都拒絕吃萊豬，如果「毒豬」在傳統市場間流竄，終致成為各種食物的配料，總是政府的縱容和包庇。

第四，作為在野黨，國民黨跟民進黨執意進口美國豬牛一樣，都缺乏應有的擔當（外抗強權，內除霸道）。即使進口量不同，萊豬如果有「毒」，萊牛自然也有「毒」，更早已為害台灣社會多年。沒有國、民兩黨網開一面，美國萊牛萊豬又如何可能長趨直入？

豬從美國牽到台灣，也還是豬，反之亦然。國民黨利用一個濃縮性

符號，[20] 把萊豬（事實陳述）解讀成「毒豬」（價值判斷），又把「毒豬」等同於戕害人民健康（推論），玩弄的是十足的民粹手段。民進黨反其道而行，何嘗不是精英的意識作祟？

　　從萊豬，到「毒豬」，再到滷肉飯，這其間有太多變數，尤其是人民的自由取捨與當家做主所可能帶來的緩衝效應。民進黨與國民黨盡可亦步亦趨，頂著一副豬腦袋，在美國權勢壓力下，搖頭擺尾，但不必把台灣人民像宰殺的豬牛，供在祭壇上，蒼生何幸？

---

[20] 見Murray Edelman (1985). *The symbolic uses of politics*. Urbana, IL: University of Illinois Press.

從造王到造孽：江啓臣自我膨脹 ✐ *2021 年 3 月 2 日*

不分顏色光譜，只要上得了政治神壇，台灣的政客都很在乎排名，特別是網路聲量，滿意度或粉絲人數。一旦榜上有名，好歹是個咖，說不定烏鴉飛上枝頭變鳳凰。

烏鴉有大有小，大致一般黑。台灣的政治烏鴉大有人在，大小咖而已。排名，對他們來說遂是一種雞頭牛後的判定，一方面是政治生命能否存在的起碼底線，另一方面則是更上層樓的墊腳石。國內排名如此，世界排名尤其非同小可，簡直是平地驚雷。

根據中文報導，中國國民黨主席江啟臣（1972-）2021 年 2 月 17 日被美國《時代》雜誌選為「次世代百大」（TIME 100 Next，英文其實沒有任何「大」的意思）的 22 位政治領導人之一，他是臺灣唯一入選的政客。三天後，江啟臣宣佈參選連任黨主席，並寬宏大量，表示將以「造王者」身段，幫國民黨贏得 2024 年的執政權。

《時代》百大與參選連任未必有直接關聯，但時間點相當緊湊，多少顯示江啟臣打鐵趁熱的算計，也頗有鯉躍龍門的姿態。世界百大耶，全球幾十億人口，誰與爭鋒？從國民黨到民進黨（時代力量和民眾黨頂多陪跑），當今臺灣政壇有頭有臉的中生代政治人物滿街跑，但是沒有其他人插上一腳，與他並駕齊驅。

在一般人看來，「世界百大」可能是一種可遇不可求的地位認可，在政治人物眼裏，就是黃袍加身了。如果「世界百大」的排名讓江啟臣自以為已非吳下阿蒙，從而可以在臺灣「造王」，這種認知若非拿著雞毛當令箭，自我膨脹到極點，便是天真得無以復加，對政治本質欠缺基本常識與知識。

常識，是因為《時代》不過是美國的一家新聞週刊，「世界百大」政治人物的排名當作茶餘飯後的閒聊，無妨，但認真不得。即使《時代》

歷史悠久，國際間類似的新聞刊物不少，憑什麼它說了算？換另外一家國外雜誌，江啟臣能否上榜恐怕還是個未知數。排名，見仁見智，不過是「15分鐘的名氣」。

《時代》介紹江啟臣的第一句話是，他是亞洲最古老政黨的最年輕領導人，這大概是他入選的原因。江啟臣在2020年3月國民黨主席補選中擊敗郝龍斌（1952-），未必是政治資本雄厚（學者從政，當過一年新聞局長），而是後者的世代包袱太重（過氣政客，時不我予）。兩害相權，國民黨選民無疑取其輕。

知識，是因為世界名氣往往無關在地人氣，更形成不了氣候。江啟臣擁有美國大學的國際關係博士學位，多少應該理解所有的政治都是本地的（All politics is local）才算數，Johnny Chiang是何方神聖？所有的排名也一樣，不管名次如何，世界排名對個人或群體，相對於台灣的地方情境，其實意義或用處都不大。

所謂「造王」，就是在眾多儲君或各地諸侯中，不必經由打打殺殺，欽點一個足以承擔重任的「王者」。換句話說，「造王者」必須有超越「王者」的能耐和膽識，否則誰甘臣伏？如果「王者」是千里馬，「造王者」便是伯樂了，江啟臣是否具有「伯樂相馬」的能力，尚有待考驗和證明。

江啟臣打算「造王」，可以從兩個層面來探討，一是國民黨內部宮廷排場的權力結構，二是台灣政壇就地分贓的地方勢力。就算黨內外沒有群王並起的局面，烏鴉群飛，都非他可以輕易網羅，指點江湖。十鳥在林，不如一鳥在手，他的手看起來仍空空如也。

在黨內，就言行來看，不管馬英九（1950-）是台灣前總統或是中國台灣特首，畢竟他是過去20年來國民黨唯一當過台北市長與總統的黨員，更何況他有中國共產黨總書記習近平（1953-）2015年特許的「馬習會」加持，廁身大老之一，由地方到中央，可以呼風喚雨。

江啟臣連台北市長都沒當過，半路殺出主導黨政，2021年2月24日國民黨的一場「願景台灣2030」論壇，他只是邀請台灣民眾黨主席柯

文哲（1959-）同台，都無法擺平中央常務委員連勝文（1970-）了，他又如何駕馭前總統馬英九？他想騎馬找馬，不免放肆，顛覆黨內論資排輩的大老倫理與文化。

反過來看，以成敗論英雄，被罷免的前高雄市長韓國瑜（1957-）在世界政治人物的影響力上，不僅《時代》「次世代百大」排不上，可能連「千大」都還掛不了名，可是在台灣，國民黨內有誰敢小覷韓「庶民」所吹起的民粹風潮。韓國瑜不需要江啟臣造王，他沒有逕自稱王，帶動韓粉造反，已算是進退有節，蓄勢待發，遲早而已。

在國民黨內稱王不難，洪秀柱（1948-）也曾權傾一時，紅透半邊天，要在台灣政壇獨領風騷，倒是另外一回事，柱倒人去，不難預料。作為黨主席，江啟臣竟然直接或間接受到黨內連勝文、王金平（1941-）及其他人指指點點，他在台灣政壇上的實力到底排名老幾，就不難想像了。

江啟臣企圖造王，他的王者最終必須跨越黨派，才能逐鹿中原。他要面對的，不僅是國民黨內妄想王位的人物，如朱立倫（1961-）、侯友宜（1957-）、趙少康（1950-），更有民進黨與民眾黨中同樣覬覦大位的政客，如賴清德（1959-）、鄭文燦（1967-）、林佳龍（1964-）和柯文哲（1959-）。王者安在，並非江啟臣一廂情願就可拍案決定，最終當家做主的，畢竟是台灣人民。

從世界「百大」到台灣「造王者」，江啟臣也許會贏得黨魁位置。[21]他的黨內改革如果無法帶領國民黨擺脫中共在台灣附隨政黨的觀感，反而成為眾多大老的附庸，為僵化的黨國路線搖旗吶喊，由造王到造孽，不過一步之遙。

---

[21] 2021 年 9 月 25 日，國民黨主席選舉結果由前主席朱立倫當選，江啟臣以第三名落敗，孫文學校總校長張亞中排名第二。

習大大打小英？　*2021 年 4 月 16 日*

台灣海峽兩岸關係日趨緊張，戰爭頗有一觸即發的危險。其實，中國不可能攻打台灣，台灣也無力反擊。根本原因是，不管是「中國」或「台灣」，都只是個名詞，頂多是兩塊面積不一的土地。跟人不一樣，土地不具有能動性或自主性，談不上要發動戰爭。

至於中國國家主席習近平（1953-）是否會出手打台灣總統蔡英文（1956-），則是另外一回事，也難說。習大大有保鏢，小英也有護衛，不可能短兵接觸，更何況隔海而治，王不見王。

除非是無人孤島，有土斯有財（金錢或象徵價值），也斯有人（天下蒼生）。從中國到台灣，無論是 950 多萬平方公里或 36000 平方公里，還是 14 億人口或 2300 萬人口，不成比例。有土有人，就有領導，不過權力來源與正當性有別。兩岸交惡，多少是不同遊戲規則帶來的矛盾衝突，解決方法因地制宜。

習大大與小英八字不對頭（戰狼對家貓），在國際形象上，她比他有點來頭（集寵愛於一身），弄得兩岸關係緊繃。習大大會不會動手打小英，不惜在台灣海峽掀起一場腥風血雨，就比「中國」侵略「台灣」來得具體明確。習大大與小英都有能動性，兩人是否一戰，恐怕繫於一念之間，他企圖統一，她尋求獨立。

這是一場零和遊戲的詭異對決，習大大有統一操作的立足點（國共內戰的後遺症），小英就沒有獨立選擇的空間（她畢竟是中華民國總統），反之卻未必。她不敢在習大大頭上動土，提出獨立的宣稱，他照樣立足神州，透過代理人（中國國民黨與其它在野的附隨政黨），染指台灣這塊土地。

習大大與小英的領導權力還有三年重疊的時間，兩人隔海較勁依舊會持續一陣子。許多國內外記者、專家和學者，尤其是台灣統派的個

人、團體與媒體，都認為習近平遲早會在特定時間點左右（例如 2022年 2 月 4 日至 20 日冬季奧運之後，時間緊迫），揮兵侵略台灣，並教訓小英，目的不外在成就中國統一的「偉大」史詩篇章。

他／她們的主張有一個共同出發點，基於中國領土完整，習大大打小英理所當然。從來沒有人覺得，小英可以理直氣壯的在台灣土地上，建構一個獨立自主的國家。也就是說，一旦「中國」與「台灣」交戰，他師出有名，她罪有應得。這不是好男不與女鬥的問題，而是民族大於民主的認證偏差，甚至是盲點。

習大大獨裁，有效掌控神州大地；小英民選，有效統治寶島台灣。基本上，兩人的轄區井水不犯河水，犯不著大動干戈，傷了和氣。

不幸的是，由於歷史因素使然（1949 年國民黨在中國內戰中輸去人民的支持，慘敗給共產黨），中國與台灣的彼此定位，至少在國家意識與認同上，一直糾纏不清。台灣追求的，不過是平起平坐的一席之地；中國堅持的，卻是上對下中央與地方的位置安排。

台灣的存在遂籠罩在中國的陰影下，後者的軍機船艦不時在台灣海域和上空耀武揚威。習大大針對的不只是小英，更有 2300 萬台灣人民，念茲在茲的，不過是中國地圖上最後一塊拼圖，至於台灣是否盡成灰或生靈塗炭，就在所不惜了。在習大大看來，台灣人大概都跟小英一樣，不支持統一，便是台獨，逆我者，一概殺無赦。

不管是為中國或台灣的長治久安，面對習大大與小英的海峽抗衡，很多學者和專家，甚至是一般人，從來沒深思過，台灣海峽一旦有戰事，唯一可能發起戰爭的是習大大，而非小英。他非要祖國統一，逼她識大體；她執意維持現狀，求他識實務。這是一場攻擊與防衛不對稱的爭戰，他咄咄逼人，她無處回身。

支持統一的學者、記者和專家似乎無法理解，也無視現實，習大大不曾統治過台灣，小英不可能「反攻大陸」。事實是，從蔣經國（1910-1988）當總統起，「反攻大陸」就不再是國民黨的軍事幻想了。戰火一起，習大大是侵略者，小英是受害者，連帶陪葬的是 2300 萬台灣人當家

做主的生活方式，亦即自由民主的選擇。

也許為避免「中國」侵犯「台灣」，或建構一個兩岸和平的假象，統派學者、專家與新聞媒體一再要求小英卑躬屈膝，接受習大大的招降，放棄民主自由，以迎合民族大義。這種本末倒置的無理話語，無疑削足適履，合理化一個不合理的政治制度。

既然小英不會就範，更不可能先發制人，兩岸戰爭的球便控制在習大大手裏，他如何開球一直耐人尋味。依據 Graham Allison（1940-）在《決策的本質》（*Essence of Decision*）[22] 中的三個理論模式，我們大致可以分析，海峽之戰並非如一般想像，說打就打，交鋒過後，天下底定。

在理性行動者層面，習大大再如何不在乎台灣人的生命財產，他不太可能對中國人的傷亡無動於衷。就算台灣人與中國人的生命並不等值，習大大恐怕也得先想想沿海哪些城鎮的中國人必須為他的窮兵黷武，付出生命代價。不管是否有外援，退此一步即無死所，小英可以採取對應行動，回擊習大大。殺敵一千，自損八百，任何獨裁者大概都會三思而行。

在組織層面，習大大固然位高權重，他無疑是中國黨政組織裏的一個成員。從中央到地方，即使黨政不分，疊床架屋，結構交叉，只要其中一個環節鬆動，特別是出了中南海的基層，連鎖效應難免，習大大不見得能夠指揮若定。將在外，君命有所不受，100 多年前大清王朝垮台，省級兵變未嘗不是促因之一。

在政府政治層面，從個人到組織再到國內外政經因素，台海之戰的決策相當複雜，不會是習大大一廂情願說了算。出手前，他好歹得先衡量周邊與其它國家會如何反應，尤其是美國的動向。在軍事動員與民間撤退上，除非是迅雷不及掩耳，中國軍艦、軍機與飛彈的集結，以及沿海地區平民的疏散，全逃不過台灣與美國的衛星和雷達偵測，外交、經濟與軍事折衝或制裁難以預料。

---

[22] 見 Graham T. Allison (1971). *Essence of decision: Explaining the Cuban missile crisis*. Glenview, Ill: Schott, Foresman.

　　台海有兩岸，這邊無戰事，那邊一點風吹草動，都會曝露習大大的侵略野心。西方民主國家應該無法容忍強大的共產中國併吞弱小的民主台灣，只要國際聲援後者，投鼠忌器，不看僧面看佛面，習大大要動手打小英，談何容易。

「柯文哲們」不妨照照鏡子　*2021 年 6 月 12 日*

　　新冠肺炎肆虐台灣，目前已進入巷戰，病毒與人民處處短兵相接，群聚此起彼落。各地的醫護人員疲於奔命，除了少數自身難保，更多的是彈藥不足，導致防線節節敗退。從中央到地方，政府官員隨著病毒跑，腳痛醫腳，甚至畫餅充飢，把對抗策略押在不確定的未來，包括國產疫苗的保護力。

　　十鳥在林，不如一鳥在手。台灣疫苗不足，凸顯兩個殘酷的現實：人民任憑病毒宰割，政客手握特權橫行。從執政的民主進步黨，到最大的在野黨中國國民黨，再到台灣民眾黨，所有大小政客的特權是：面對病毒，他／她們先想到自己的安危或既得利益，行有餘力，也許會把人民掛在嘴上，心裏則難說。

　　在政客心中，自己，當然指的是本人，但也包括親人及其他有裙帶關係的人（名單可長可短，運用之妙，存乎一心）。另外，吾黨所形成的權力小圈子自然是自己人，非我族類無疑不算數。一旦出事，自己人好說話，官官相護，要一手遮天不難。一人得道，雞犬升天，這些都可以靠特權解讀或實際延伸。

　　台北市長柯文哲（1959-）是個典型，柯 P 已不再是教授（professor），而是如假包換的政客（politician）。教授眾多，在學術自由下，不必聽命於其他人；市長只有一個，大權在握，其他人都得聽命於他。教授不行，學生倒楣；市長差勁，市民遭殃。

　　從 2014 年當選市長起，在政治染缸打滾幾年下來，柯文哲學得所有政客靠政治而活的話語與手段，以一套類機械化的公式處理跟人民日常生活相關的大小事情，缺少民胞物與的胸懷。每一個人的存在都是自然態度（生命就是生命），柯文哲們採取的卻是社會態度，看到的只是報表上的數字或文字，一種個人的集合體。

　　不管什麼原因，一條生命的隕落，最是不可忍受的人間之痛，更何況孤獨猝死於家中，無人聞問。新冠病毒帶來的社區感染，雖然還不至於橫屍遍野，幾百條生命的無謂喪失，無疑是民間悲劇，在柯文哲們眼中，卻不過是冰冷數字的統計。增一人，不足以動容；少一人，攬功自雄。他／她們不妨照照鏡子，看看自己的嘴臉。

　　在官方看來，這些死去的人全無名無姓，也沒有任何容貌，恐怕連個送終的儀式都難得（即刻火化）。他／她們在醫院垂死掙扎，或在家中吸不到一口氣時，柯文哲們正在忙著做報表（大概還得校正），隨機更改打疫苗的優先順序，包括後幾類的幾百萬人民，何時可打並不重要，反正數字便是現實，列表就是動作。

　　不論如何合理，所謂優先順序，就是機會不均等。機會不均等，後果一定不均等。後果不均等，特權應運而生。由中央到地方，整個過程裏，透過定義和操作，政客的特權合理化一群不合理的投機份子，打亂了應有的次序與社會正義。

　　中央流行疫情指揮中心指揮官陳時中（1953-）的特權是，他可以經由記者會，在台上一本正經，照本宣科，甚至畫梅止渴，根本不在乎台下沒有疫苗。

　　不過，2021 年 6 月 9 日在立法院答復質詢時，陳時中說每天為了疫苗數目，「常睡到一半就嚇醒」。其實，他每驚醒一次，就有許多人為確診而徹夜難眠。柯文哲們的特權是，拿著有限的疫苗，他／她們可以在台下私相授受，根本不在乎人民的觀感和憤怒。

　　所以，國民黨的雲林縣長張麗善（1964-）可以為自己的哥哥張榮味（1957-）打疫苗，因為他是同住家人；民進黨行政院顧問丁怡銘（1976-）可以打疫苗，因為他與陳時中經常開會，而同黨的立法委員鄭運鵬（1973-）可以大言不慚的說，前者在第一時間內曾表達不接種。其實，前行政院秘書長林益世（1968-）也在第一時間內說他不會索賄；民眾黨的柯文哲（1959-）市長可以把疫苗分給一些診所，因為物盡其用；新竹空軍醫院院長崔以威可以加開夜診，因為悲天憫人，替親信打

疫苗。

　　事發後，他／她們各有辯解，一切依規定辦理。雖然沒有更多的證據，這些案例可能只是冰山的一角，反正人民被蒙在鼓裏，多少罪惡都在規定下暗度陳倉。

　　上行下效，柯文哲們的特權當然來自總統蔡英文（1956-）的縱容（她的閣員有誰為政策偏差而辭職？），她或許堅信自己善盡職守，卻是自滿導致的認證偏差（至少外國媒體如此斷定），無視自己是台灣最大的特權（817萬選民的特許與期待），必須向全國人民負責。

　　蔡英文的特權在於，以元首之尊，可以信口開河，答應人民打實驗不足的國產疫苗，又不必承擔任何政治責任。台灣疫苗恐慌，顯示她缺乏遠見與領導能力缺缺。

　　結果是，死道友不死貧道，蔡英文可以像柯文哲一樣，讓下屬充當擋箭牌或替死鬼。成也陳時中，敗也陳時中，他在台灣本土疫情爆發後沒有被撤換，一個根本原因是，任何有點政治頭腦與野心的政客都不會要收拾他留下的爛攤子；蘇貞昌（1947-）遲早要為中央政府的失敗付出政治代價。

　　面對缺疫苗的危機，還有2021年4、5月的缺水與缺電，蔡英文的行動力有未逮，話語乏味，絲毫難以打動人心。她對人民亂跑相當在意，自己深鎖宮內，又何曾理解人民為生活奔波的困境，不知升斗小民內心的恐懼與生活的無耐。

　　柯文哲們不過在地方上，替蔡英文放大了政客特權之為害。

無恥篇

恥，是一種道德或倫理價值，以個人為訴求對象，取捨不假外求。恥是某種內心狀態，不存在於比個人還大的其它單位，例如家庭、群體、機構、組織、社會或國家。這些較大的單位卻提供了一個情境，可以用來衡量個人的言行舉止是否合乎知恥的要求與操作。

無恥，就是不知倫理道德為何物，或所為何事了。

德國社會學家韋伯（Max Weber, 1864-1920）認為倫理有兩種，一是信仰倫理，二是責任倫理。前者是對人事物所應堅持的原則與信念，例如個人在家庭、群體和社會中應盡的本分；後者是個人應承擔的職責與忠誠，亦即盡忠職守，例如官員對與工作、同儕和人民相關的公共事務，抱持有所為與有所不為的擔當。

信仰倫理與責任倫理都隱含知恥的拿捏，兩者並存，在韋伯看來，可以產生道德品格與正義行動。也就是說，從信仰倫理到責任倫理，知恥，就不會逾矩，足以指引個人在不同場域中的一言一行。無恥，難免導致人格淪喪與行動乖張。

官員／政客無恥，出自從不反躬自省，不見棺材不流淚。無恥，在台灣人看來，就是良心給狗吃了。喪盡天良的官員／政客存在於政府各階層，輕者得過且過，不知進退，重者違法濫權，貪汙腐敗。

不管輕重，官場中無恥，傷害的不僅是相關單位的正常運作，更打擊人民對政府的觀感與信任，特別是只准州官放火不准百姓點燈的不滿情緒。

學者無恥，出自利用身分投靠權勢，以學術服務政治，或頂著教授

頭銜販賣偏頗的知識，從而透過特定的意識形態，充當政府機關、財閥、黨團和既得利益群體的工具，愚弄凡夫俗子，又不知反思。

　　士大夫無恥，是為國恥。無恥的學者廁身大學殿堂，上焉者，不學無術，戕害知識的生產與傳遞；下焉者，投機取巧，打亂學術研究的正常遊戲規則。上下交相賊，台灣學術界的醜聞也就此起彼落。

　　一般人無恥，就是不要臉，言行舉止丟人現眼。個人不知羞恥，在於日常生活中，從官場到學術界，再到娛樂圈，太多直接（人際互動）或間接（新聞報導）違反常規的經驗，顛覆應有的守則，經由示範作用，導致倫理變調，甚至敗壞，笑貧不笑娼。

　　許多人無恥，一旦從個人麻煩（「下西下井」）演變成社會問題（男盜女娼），量變帶來質變，整個國家不免向下沉淪。

中華台北市長：被馴服的柯文哲　*2017 年 9 月 3 日*

2017 年世界大學運動會於 8 月 30 日順利落幕，學者和專家一般認為，台北市長柯文哲（1959-）是最大贏家，政治前途看漲。理由無它，柯文哲在世大運閉幕式上，用字遣詞，展現大將之風，除了 2018 年市長選舉無對手，還頗有更上層樓的架勢，直接威脅到 2020 年大選蔡英文總統的連任機率。

其實，仔細比對中英文致詞，不難發現柯文哲已經被台灣海峽兩岸的政治現實馴服，尤其是來自中國的外在壓力。他在中文致詞裏提到「台灣」11 次，在英文的版本中，如果把地理名詞 northern Taiwan（北台灣，而非完整的台灣）算進去，也只有 1 次。

換句話說，柯文哲的中英文話語，針對內外有別的觀眾，充滿不同的政治盤算。對內，他以「台灣」字眼討好許多人對「中華台北」的不滿，一種阿 Q 的心理慰藉；對外，他用模糊的「我們」或台北一筆帶過，即使中文提到「2300 萬台灣人民」，在英文裏也只是 our 23 million citizens，而非 23 million Taiwanese people，從頭到尾，看不到台灣或台灣人的身影和尊嚴。

跟開幕式與記者會一樣，國際大學運動總會（FISU）會長 Oleg Matytsin（1964-）在致閉幕詞時，絕口不提台灣或台灣人民，只談台北或在現場的人們。前後對照，讓人不免懷疑，柯文哲致詞的英文版本是否經過 FISU 的事先審核。不然，一個致詞，兩種中英文用語，很難以翻譯能力不足來解釋。中文的台灣，在英文裏就應該是 Taiwan，沒有含糊其詞或其它替代的字眼。

用法上，citizens 和 people 的涵意有相當差別。citizens 指的是市民或一個地方的居民，people 廣義上包含一國人民或國族（nation）的集體指稱。美國立國憲法以 We the People 開場，在在強調人民的自主權與

獨立性。美國的《台灣關係法》也開宗明義，以美國人民與台灣人民（between the people of the United States and the people on Taiwan）界定雙方互動的基礎，展示的無疑是某種對應的關係。[1]

在閉幕致詞和其它場合中，不論柯文哲如何用中文或國語信誓旦旦要讓台灣走向世界，只要避開以英文對外宣稱台灣或台灣人民在國際舞台上應有的角色與作用，他的話語就顯得蒼白無力，甚至言不由衷。

雖然登上台灣的政治舞台不過兩年多，為了連任或謀取更大的職位，柯文哲已然向中國權勢屈服，與維護既得利益的政客和缺少國家意識的政黨根本沒什麼兩樣。在《國民體育法》中，民進黨和中國國民黨都堅持採用「中華奧會」，而非「國家奧會」的頭銜，不過是畏首畏尾的表徵。

世大運把柯文哲推上個人政治歷練的高峰，水漲船高，他趁機乘風破浪，由地方進擊到中央，並不意外。在德國社會學家韋伯（1864-1920）看來，巧取豪奪，以追逐力量，或鞏固權勢，都是政客在嚐到權力滋味後，不可避免的傾向。[2] 世界各國皆然，柯文哲顯然也擺脫不掉大權在握與光環圍繞的誘惑。

以世大運成敗論英雄，從而斷定柯文哲的政治身價與後勢，固然有相當憑據，卻不免只及表象，或言之過早。2018 年台北市長選舉還有 15 個月，人的記憶與熱情有限，選民更未必與世大運觀眾或柯文哲的粉絲重疊。曲終人散，世大運的喧嘩和風光很難有效持續。

當世大運開幕式被短暫鬧場後，柯文哲罵反年改的個人與團體是「王八蛋」，約 50 萬人在他的臉書上按讚，數目龐大。許多人因此相信這些是柯文哲的粉絲，也是他連任勝選的基本盤，亦即在藍綠之外，柯

---

[1]　這中間兩個介系詞的使用，of the United States 與 on Taiwan，就有相當涵意。前者指的是一個國家的人民，後者則是一個島上的人民。Taiwan 是地理名稱，而非國名，跟 United States 其實並不對等。

[2]　見 Michael Joseph Smith (1986). *Realist thought from Weber to Kissinger*. Baton Rouge: Louisiana State University Press.

P 的第三路線已然形成。

如此看法似是而非，缺少批判精神和操作，忽略了在虛擬世界裏移動滑鼠或敲打鍵盤，與真實世界中的動作，其實有很大的差距，更可能對公共空間的行動參與，帶來替代或負面效應。上網是個人行為，投票卻是社會行動。

舉個例說，2013 年香港特區政府在拖延了 3 年多後，終於發了兩張免費電視牌照（有線寬頻的奇妙電視與電訊盈科的香港電視娛樂），但排除志在必得的香港電視。當時，49 萬人透過臉書聯署，要求有關單位解釋為什麼香港電視被拒絕，氣勢不輸 2003 年 50 萬人上街反對基本法 23 條立法，也比 2014 年參加佔領中環的實際人數還多。

不過，上網與上街是兩回事，前者舉手之勞，後者卻得走上街頭，以行動表達意見。2013 年 10 月 23 日，香港電視工會號召群眾上街遊行抗議，事後宣稱有 8 萬人參加，警方的統計是最高峰為 2.18 萬人，人數估計懸殊。兩者比起臉書上的 49 萬人，都天南地北，這是想像與現實難以磨合的分歧。[3]

在柯文哲眼中，幾十萬人在短時間內表示支持，當然說明他具有鼓舞並吸引他人隨從的能力。依韋伯的分析，柯文哲多少帶點真正政客的魅力，足以累積可觀的政治資本，長此下去，柯 P 的興起恐怕不會曇花一現，更可能指點台灣未來的江山。

問題只在於，對任何政客來說，一天的世事變化或個人差錯，特別是天災人禍，足以改變政治的遊戲規則與政客的籌碼，更何況一年多的時間。這期間，不管是個人算計、政黨折衝與兩岸政治糾纏，稍為風吹草動，都難免打亂柯文哲的腳步。

柯文哲以首都台北市長的地位主辦世大運，在他的政治生涯，或許是一大步。他的閉幕致詞卻對外展示中華台北市長的格局，毫無政治擔當與道德執著，就台灣的未來，頂多只是一小步，更可能是故步自封。

---

[3] 這部分根據《民主、民意與民粹：中港台觀察與批判》（頁 39-40）改寫。

許歷農現象：台灣自由民主的代價　✎2017 年 9 月 12 日

　　前國防部總政治作戰部主任、退役上將許歷農（1919-）2017 年 9 月 2 日公開宣布不再反共，並支持中國統一。他是中國國民黨籍的退將之一，如此公然主張，跟當年的黨國政策相左。

　　由反共到親中，99 歲的退將搖身一變，難免引起風波。許多人，尤其是綠營的學者和專家，痛罵許歷農吃裏扒外，要他退回終身俸。也許感受到外界的壓力，許歷農 9 月 9 日發表回應，強調促統不為私利，「誓以餘年為捍衛道理而奮鬥到底」，一副大義凜然。

　　不管是為私利或捍衛道理，許歷農的心路歷程與轉變，其實都是 1996 年台灣全面自由民主化後，不可避免的「異化」代價，例如，民主不能當飯吃，或個人自由不能凌駕集體利益等話語。在民主主義與民族主義之間，許歷農跟黃安（1962-）及一些藝人一樣，甘願在台灣為中國高漲的民族主義敲鑼打鼓，甚至以民族打壓民主，全屬言論自由的範疇。

　　從官方到民間，任何人犯不著如臨大敵，非得把許歷農們或黃安們趕盡殺絕。他們到底還是中華民國的國民，言論受憲法保障，不像中華人民共和國的憲法形同虛設。2010 年諾貝爾和平獎得主、作家劉曉波（1955-2017）2008 年因言論入罪，不過是殘酷的事實。[4]

　　如果台灣經不起許歷農或黃安等人投機言論的挑撥和摧殘，這樣的獨立自主與自由民主也未免太脆弱，不堪一擊。台灣的自由民主再堅實，也強不過騎牆派所顯示的最弱一環。

　　由許歷農到黃安，再延伸到所有反年金改革與婚姻平權的個人，無論他們的身分、地位或性別如何，在台灣，他們跟其他人一樣，首先都是自由人，然後才是各自認同的中國人、中華台北人或台灣人，井水不

---

[4] 劉曉波於 2017 年 6 月因肝癌保外就醫，7 月病逝於瀋陽。

犯河水。

　　認同是一種個人的心靈歸宿，不能強求，也無法以外力或武力橫加框定。「台胞證」也許界定了台灣人在中國的身分，卻不是台灣的身分證。黃安能理直氣壯的回台使用健保就醫，不是因為前者，而是後者。黃安看不起台灣，這塊土地反而讓他能夠站穩腳步，從而在中國繼續販賣一點台灣的剩餘價值。

　　除非鼓動暴力或帶來立即危險，自由人在台灣追求不同認同，或跨海認祖歸宗，所謂一種米養百種人，大抵不受他人干擾，包括在西門町拿著台獨旗或中國的五星旗，招搖過市，甚至高喊台灣獨立或中國統一。

　　當五星旗與青天白日旗可以在台北街頭並排飄揚時，當前副總統連戰（1936-）與中華人民共和國黨政大員可以在天安門並坐閱兵時，許歷農的親共促統話語簡直是小巫見大巫。不管輕重，這些都是台灣自由民主化的非有意後果，單維思考只會出現在高壓集權的國度。

　　從抽象到具體，自由的概念和操作，固然不易明確界定，但也非毫無章法或指標。

　　美國 1976 年諾貝爾經濟學得主芝加哥大學教授 Milton Friedman（1912-2006），在經典著作 *Capitalism and Freedom*（1962）中指出，一個自由社會的最起碼特徵是，個人可以公開提倡與宣傳某種社會結構的激進改變（例如，主張台灣統一在中國共產主義之下），就算自己最終可能因現有政治制度被取代而喪失自由，只要這種主張基於勸誘或說服，而非武力或其他恐嚇方式，都不應受干涉，畢竟個人必須為自己的言論自由承擔終極後果。[5]

　　許歷農雖然沒有公開擁護共產主義，或帶槍投靠北京，他的促統言論聽起來卻是八九不離十。除了是自由人，許歷農的話語還可從其它兩個層面探討：他是退休將官，也是中華民國國民，在國家與個人關係層面上，兩者有不同意涵，可能的社會效應也有相當差異。

---

[5] 這個段落改寫自 2016 年《民主、民意與民粹：中港台觀察與批判》（頁 67）。

　　就軍階來說，官拜上將是職業軍人的巔峰，位高權重，在講究倫理輩分的台灣三軍中，由於海峽兩岸多年來相安無戰事，一將功成未必萬骨枯，徒子徒孫卻不免盤根錯節。學弟與學長間的人際互動、官階的等級機制和升遷安排，都在一定的領導體系下循序漸進，不會隨機而定，更不可能是意外。

　　許歷農在軍系中一路爬升，帶兵不少，在總政治作戰部主任的職位上，又無疑掌管官兵意識形態的忠誠養成與考核，以及如何在戰場外對敵作戰的設計。他的轉變因此不會只是個人問題，而是更大的社會麻煩，其示範作用和鄰里效應（受益者或受害者不明，求償無門）難以預料。風吹草偃，哪些官兵會受到何種程度的影響，不易把握，因此也就無從預防。

　　十多年前，甚至在兩蔣威權時代，有誰會料到許歷農以今日之我否定昨日之我？

　　從陸軍退役中將、前陸軍副總司令吳斯懷（1952-）等退役將校2016年組團到北京參與中共官方活動看，許歷農的話語並非個案，恐怕是一個現象的具體濃縮。對應之道，不是要他們閉嘴，或「滾回中國」（他們如果是中國將領，可能的社會效應必然降低），而是以更多的言論批判他們的無知、無理和無恥。

　　無知，是因為他們視若無睹，中國的強大建基於中共騎在人民頭上的一個獨裁架構。無理，是因為他們為虎作倀，直接或間接認可中共唯我獨尊，忽略中國憲法賦與公民的言論、集會、出版、遊行、結社和示威等自由。無恥，是因為他們把人看成是滿足物慾的低等動物，缺乏道德操守的執著。

　　許歷農食國家俸祿，一番促統話語不僅刺耳，多少還顯示晚節不保，是可忍孰不可忍。許多人因此意氣用事或謾罵一番，恐怕是許歷農始料未及的反響。面對千夫所指，許歷農猶以千萬人吾往矣的姿態，面不改色，與當年反共悍將的架勢，大異其趣。「留取丹心照汗青」，對他來說，大概已毫無意義。

兩面人：柯文哲的前台與後台　*2017 年 9 月 19 日*

不管職位高低與權力大小，台灣的政治人物至少都有一個正式或非正式的舞台，最好是獨步全場的國際舞台，而且還要有觀眾，滿堂喝采，成為鎂光燈聚焦的主角。

從地方到中央，任何人沒有舞台，即使有頭有臉，絕對成不了政治咖。有舞台，但台下無人或小貓兩三隻，顯然也不成氣候。舞台和觀眾全缺，便是芸芸眾生的凡夫俗子，滄海一粟而已，沒人在乎。

台北市長柯文哲（1959-）就不同凡響了，既不缺舞台，觀眾又滿街跑，特別是年輕一代，簡直把他當偶像崇拜，唯柯 P 是瞻，更奉話語為圭臬。也難怪，柯文哲的演出，不論是照本宣科，或臨場即興唱作，為之傾倒的不在少數，儘管票房未必叫好又叫座。在台灣政治舞台上，柯文哲的星運大概無出其右，鋒芒直逼層峰，不可一世。

舞台，自然包括前台與後台，是劇場表演的必要結構與設置，相關概念和操作也可應用到日常生活。

美國社會學家 Erving Goffman（1922-1982）在 1959 年提出前台與後台的概念，探討個人如何在公開場合呈現自我（The Presentation of Self in Everyday Life）。基本論點是，因為場域有別、觀感差異與期待不同，前台和後台各有一套運作邏輯及規範要求，演員與觀眾往往彼此心照不宣（我在演戲，你在看戲），一齣戲才能順利演出。

人是社會演員，只要在公開場合，便處身一個前台，面對台下真實或想像的觀眾，透過各種符號或道具配備，努力塑造一種正面形象，以討好並維持他們可能具有的某種印象。這種前台建構的形象與後台行為不見得有所關聯，從政治界到學術界，台上道貌岸然，台下男盜女娼，在台灣或其它國家俯拾皆是。

以前台和後台的觀念看台灣政治舞台，相當貼切。前台是政客直接

粉墨登場的地方，可以是大雅之堂（如總統府或立法院），也可以是野台（如凱達格蘭大道上臨時搭建的棚架），或其它足以間接吸引觀衆的場合（如電視節目的訪問或論壇）。後台就侷限多了，隱含特定的道德判斷和價值取捨，只有導演、演員及相關工作人員可以進出，是一個「非請勿入」的場域，通常不能也不會曝光。自曝其短，是另外一回事。

柯文哲的舞台當然是台北市，這個前台雖然由 85 萬台北選民於 2014 年打造，觀衆卻是 270 萬市民。經由市議會或新聞媒體的渲染，他的話語和舉止都無所遁形，一旦出了差錯（例如「兩岸一家親」和「打造生命共同體」的謬論）或穿幫（信口開河），也難逃衆人的指責。台上如果荒腔走板，台下難免鼓譟，要求下台以謝國人的聲音勢必不絕於耳。

相對於前台，柯文哲主持或參加的任何不公開會議，或排除新聞記者到場，包括 2017 年 7 月初在上海雙城論壇與中國國台辦主任張志軍（1953-）會談，以及 2017 年 8 月下旬在台北世大運期間跟國台辦交流局長黃文濤（1963-）會面，便是後台的事。

既然是後台，誰主導前台的角色、走位與台詞，就涉及導演與製作人力量的運用和利益定奪，潛規則終究演變成一種制度：順我者生，逆我者死。2017 年 9 月 11 日李明哲（1975-）公審，便是後台排練過後，才搬上前台演出的一場荒謬劇，慘不忍睹。

只要不對外說明，或有意隱瞞，柯文哲與中國官員在後台談些什麼，甚至是否條件交換，台北市民無疑被蒙在鼓裏。所謂以大局為重，政客考慮的從來不是人民的福祉，而是既得利益的算計與權勢的鞏固。不管是具體或想像，一個舞台的前後劃分遵循不同規則。

後台，由於沒有觀衆，因此是政客爾虞我詐或共同沉淪的陰暗角落；前台，因為刻意建構，頂多是他們粉刷太平的海市蜃樓。後台操作與前台公演，推到極致，畢竟是精心策劃的場域交替，一體兩面，不能切割。

從歷史看，從總統府、立法院到各及地方政府與議會，台灣官場不

乏前台和後台狼狽為奸的例子，遠者，如 1987 年解嚴前的各種白色恐怖事件；近者，如民進黨政府 2017 年的前瞻計劃強渡關山。

不論是兩蔣獨裁的幾十年威權時代，或 1996 年總統全面普選後的自由民主體制，完全執政不過是霸權與霸道的合理化藉口或遮羞布。一旦歹戲拖棚，如一例一休引起的後遺症，甚至劇場垮了，如行政院長林全（1951-）下台，不但摧殘人民的向心力，連帶耗損的恐怕是納稅人的金錢和社會資源，更多的是被壓在底下的無辜觀眾。

柯文哲的另一個潛在舞台，自然是整個台灣，面向 2300 萬名觀眾。以目前局勢看，縱使 2017 年世大運辦得有聲有色，個人氣勢也如日中天，他大概還不至於能在這個前台上與總統蔡英文平起平坐。

小英不像柯 P 快人快語，更不會口出惡言或狂言鼓舞民心，2016 年她以 300 多萬票的差距，擊敗中國國民黨候選人朱立倫（1961-），應非吳下阿蒙，總有四兩撥千金的一點功夫。外國媒體以「亞洲的梅克爾」形容她，不會無風起浪。

如果 2020 年柯文哲成為蔡英文的競選對手，總統大選的前台運作（劃清敵我界線）和後台操作（翻舊帳、掀醜聞和惡意中傷等），勢必變本加厲。

由過去幾次大選看，台灣的兩黨政治版塊雖然不像美國的根深柢固，但也初具雛形。第三勢力（如時代力量或親民黨）或無黨派候選人，要大舉瓜分或奪取民進黨與國民黨的地盤，可能還不切實際。歷史上，美國第三黨後選人贏得總統大選發生在 1860 年共和黨的林肯當選總統。

在台灣三方角力的選舉中，不管是理論或實際，剛開始的選民局面不會是三分天下，而是兩大一小。隨著選戰的進行，非黨派的選民遲早要在弱水三千中只取一瓢。民進黨與國民黨各挾政黨機器、基本盤和龐大地方樁腳，左右分別進擊，沒有黨機器奧援的柯文哲難免背腹受敵，一路挨打，想要漁翁得利，靠中間選民和年輕人的選票獲勝，未必如探囊取物，鹿死誰手，還難說。

不談行政院長賴清德（1959-）是否以「儲君」備位，柯文哲能否以個人現有的政治力量在 2020 或 2024 年登上總統大選的前台，還在未定之天。最大的原因是，到目前為止，他在市長任內的後台作為，特別是與中國之間的暗渡陳倉，以及前台上雙方的眉來眼去，多少讓學者和專家質疑他對台灣主體性與人民自主權的立場和執著。

柯文哲在中國也許還有一個舞台，不過後台的習大大導演似乎限定了他的前台角色、劇本與過場。他是台灣的首都市長，當許多人懷疑他念茲在茲的「後台」靠山是中國政府，而非台灣人民時，他又擺脫不掉中華台北市長的標籤或印象。

他的兩面手法——在前台擺出一副「吾愛台灣」的模樣（如世大運閉幕詞的慷慨激昂），到了後台卻跟中國在「一個房間裏」解決（床頭吵、床尾和），不免是豬八戒照鏡子。

不正常國家的不正常市長　📝2017 年 11 月 17 日

　　台北市長柯文哲（1959-）2017 年 11 月 13 日回答民進黨市議員陳慈慧（1983-）的質問說，台灣是主權獨立國家，「但不是正常國家」，目前也不是中國的一部分。至於台灣的定位到底何在，又為什麼不正常，柯 P 含糊以對，打發過去。

　　市議員質詢市長天經地義，上窮碧落，下黃泉，言論對外更不負責任。陳慈慧也許會覺得她的「快問快答」設計很俏皮，題目也相當尖銳，直指柯文哲與民進黨的難言之隱，甚至挑撥首都市長與執政黨之間的緊張關係，為 2018 年的市長選舉和 2020 年的總統大選埋下進擊的伏筆。一旦選戰開打，柯文哲說過的任何話語，都將是對手炮火四起的彈藥，中國國民黨當然不會棄而不用，民進黨難免擦槍走火。

　　台北市固然是首都，市議會卻屬地方級，飛象過河，這種「問政」內容不僅無聊，談不上道理，既無關台北民生大計，又打亂國家認同，頂多逞一時口舌之快。

　　柯文哲說台北市民的素質很高，如果不是譏諷高雄市長陳菊在台北政壇不會有行情，就是討好選民的民粹操作。由陳慈慧的提問看，柯文哲對市民素質的斷語可能得打點折扣，畢竟有什麼樣的選民，便有什麼樣的議員。

　　台灣的確是一個不正常國家，名稱多變，從「中華民國」、「中華民國在台灣」、「中華台北」、「中華民國台灣區」、「中華民國是台灣」，到台灣，不一而足，藍綠盡可各取所需，各事其主。

　　柯 P 被逼上梁山，一問一答，終究留下簡短陳述。白紙黑字，他的政治前途恐怕沒有太多回身空間，特別是往後如何與中國打交道。從「兩岸一家親」、「建構生命共同體」到台灣「不是正常國家」，柯文哲的思路多少一脈相承，用字遣詞或許不同，卻無一不否定台灣的主體性

與人民自主性，還把自己困限在難以轉圜的死角，這不是正常市長應有的政治智慧與道德擔當。

依德國社會學家韋伯（1864-1920）的看法，[6] 理想的政治領袖憑魅力和理念，可以透過全國大選（如總統或國會選舉）贏得人民的追隨，在政治決策上見人所未見，採取「雖千人吾往矣」的果斷，帶領人民建立一個外抗強權、內除國賊的民主國度，並為成敗承擔終極後果，毫不優柔寡斷，更不會裏外矛盾，一方面內欺人民，另一方面外棄國格。

從 2014 年當選市長後，在媒體光環下，柯文哲手握首都行政大權，即使歷經大巨蛋黑箱作業弊案、上海雙城論壇的「喪國」論調和中國新歌聲的暴力事件等，他的民調支持度依然高居不下，無疑顯示韋伯所說的個人魅力。柯文哲公開尋求連任，說好聽點，是政客肩負韋伯強調的一種「政治使命」感，其實是權力欲望在作祟。首都市長好歹是萬人之上，距一人之下，還有一步之遙。

英雄敢為天下先，只要柯文哲一路過關斬將，由地方而逐鹿中原，恐怕是遲早的事，藍綠雙方勢必要俯首稱臣。問題是，柯文哲或許魅力十足，與理想領袖的典型卻還有一段距離，政治果決能力與道德情操都顯得捉襟見肘，缺乏大將之風，未必足以撼動群倫，更別提要率領千軍萬馬，直搗黃龍。

柯文哲的道德缺失是，以 SOP 的技術運用作為失敗的推辭或擋劍牌，堅持政策或措施沒錯，只是執行上的細節偏差。

例如，2017 年 10 月 28 日重陽節登山活動濺血事件，事後的檢討是95%的 SOP 沒有問題，剩下的 5%出了差錯。95%是個很明確的數字，看起來相當科學，頗有點像統計學裏的 95%信心度。柯文哲並未交代如何計算出這個數據，卻以 5%的小數目稀釋掉整件事。在他看來，5%似乎比 20 多個人受傷還擲地有聲。

以 95% 對 5%的差距，柯文哲大言不慚的就把市政府應變能力不足

---

[6] 見Michael Joseph Smith (1986). *Realist thought from Weber to Kissinger*. Baton Rouge: Louisiana State University Press.

的問題，以意外難測，輕鬆的結案。言下之意不外是，流血不過是整個過程中的一點小瑕疵。柯文哲是外科醫生，應該很清楚，人命關天，在手術台上，即使是 1%的誤差（100 個病人死了一個）都不能接受，更何況 5%？如果當天不只是流血，而是不幸的死了一個長者，柯文哲的 SOP 百分比率又該如何分配？

柯文哲的政治智慧與能力難以服眾的地方在於，他不會劍及履及，為自己的言行提出具體的證據辯解，從而擔負無可推諉的責任。柯文哲徒有小我魅力與市長氣派，但無大我魄力和領袖氣節。道德上，作之師，既難；政治上，作之君，難上加難。柯 P 的出現是不正常國家在不正常環境下的產物，他的不正常市長作為，不應該是問責政治的常態現象。

如果情勢維持不變，柯文哲連任市長大概無敵手，他會把台北帶向何方，其實也無礙國家的長治久安。

作為一個不正常市長，如果他攀登不正常國家的政治權力高峰，台灣的未來局勢不免將萬古如常夜，尤其是籠罩在中國的霸權陰影下。

台灣新聞界之死[7]　✐2017 年 12 月 2 日

　　第 16 屆卓越新聞獎於 2017 年 11 月 29 日，在台北誠品書店信義店舉行，跟 11 月 25 日落幕的第 54 屆金馬獎一樣，應該是新聞界重視的年度大事。畢竟，這項新聞獎直接牽涉個別媒體與記者的品質好壞，它山之石，多少可以攻錯。

　　不幸的是，從電視到報紙，許多媒體爭先恐後，耗費相當大的時間與篇幅，報導衆多女星如何袒胸露背，極盡挑逗，對卓越新聞獎卻隻字不提。少數例外的，不過是自己得獎，乘機大吹大擂。重娛樂，輕新聞，說明台灣徒有媒體與記者，卻沒有一個像樣的新聞界。

　　其實，台灣的新聞界早已死了，特別是報紙。[8] 在一些學者與專家看來，新聞報導不過是一份朝九晚五的職業，而非振聾啓聵的志業。前者在養家糊口，後者在為民喉舌。

　　現有的媒體與記者不過是商業機構的成員，頂多是財團營利的工具。理性運作，往往是現代媒體組織的基本邏輯，當生存遭受威脅時，一旦推到極致，便唯利是圖。在這方面，由電視到報紙，台灣媒體的商業化傾向已是不爭的事實，追逐的盡是收視率與發行量，以及數字帶來的可能廣告收入。

　　就定義來說，新聞界指的不光是一個採訪和報導新聞的場域，更是一個包括團體、組織和個人的社群，社群裏的分子因為知識、方法與科技的差異，形成獨特的專業群落，在意見的自由市場或民主社會裏，彼此相互競爭，又為整體成敗，肩負榮辱與共的社會責任。

---

[7] 本文部分改寫自 2017 第 16 屆卓越新聞獎平面及網路文字類評審召集人感言，題目是「個別卓越、整體平庸」，並作補充，內容不代表卓越新聞獎基金會的立場。

[8] 相關記載，見周天瑞（2019）。報紙之死：我與美洲《中時》的創生與消逝。台北：印刻。

　　由 2017 年第 16 屆卓越新聞獎頒獎典禮看，台灣的新聞媒體與個人在乎的只是一點光環，更計較自己是否成為他人注目的焦點。剛開始時，誠品信義店的場地幾乎座無虛席，隨著每一個獎項的頒發，人越來越少，特別是入圍席，不但得獎者拿著獎金興沖沖的全身而退，落選者更是悄然頓去，剩下一排一排座椅，與半空的場地和無限的空蕩。

　　雁過留聲，人去留名，包括惡名。不管理由再如何冠冕堂皇，不論得獎與否，一場新聞界的盛會竟落到「唯我獨尊」的荒謬演出，在某種程度上，這是個人對整體新聞界尊嚴的輕蔑，一種「干我屁事」的傲慢：只要我沒得獎，別人算什麼。

　　同儕鳥獸散後，最後的一位得獎者看著留下來的基金會工作人員、董事和評審等，難免百感交集，只能自我解嘲。台灣新聞界的尊嚴全在媒體代表與記者集體離席下被埋葬，連送終都免了。整個新聞界再強，也強不過個別媒體的市儈和功利，與記者的墮落和隨波逐流，甚至趨炎附勢。

　　以缺席表達不滿，如果是一種變相的黨同伐異，刻意出席具有特定作用的會議，就無疑是沆瀣一氣了。2017 年 11 月 24 日，100 多位台灣的媒體機構與個人打著新聞界的旗幟，參加在北京舉辦的「第三屆兩岸媒體人北京峰會」，「共商未來兩岸新聞交流大計」。峰會與大計，暗示某種地平線和願景，企圖打造一個一廂情願的虛假國度。

　　出席峰會的台灣媒體機構、個人與學者包括：旺中媒體集團董事長蔡衍明（1957-）、中國國民黨副主席胡志強（1948-，代表團榮譽團長）、《經濟日報》社長黃素娟、《聯合報》總編輯范凌嘉、《中國時報》社長王丰（1956-）、《中國時報》暨《旺報》總主筆戎撫天、中華日報榮譽董事長黃肇松（1948-）、中視董事長邱佳瑜、TVBS 執行副總楊盛昱、東森新聞部副理王凌霄、台灣廣播電視節目協會理事長呂培元、中時電子報社長賴岳謙（1958-）、世新大學校長吳永乾、台北市新聞記者公會理事長袁天明、高雄市新聞記者公會理事長馬道明、與中華新聞記者協會理事曠湘霞（1951-）等。這些人都曾在各自領域中，占有相當地位，算

是新聞界與學術界的菁英。

在中國方面，出席會議的全是黨政要員，包括中共中央政治局常委與全國政協主席俞正聲（1945-）、中央政治局委員與北京市委書記郭金龍（1947-）、國務院國台辦主任張志軍（1953-）、中共中宣部副部長蔣建國（1956-），以及北京市代市長蔡奇（1955-）等。從官位與分配看，該到的都到了，格局也不可謂不高，給足了台灣訪客相當面子。

不管如何，在一個沒有新聞自由的獨裁國家，在中共黨國高於一切的框架下，在黨領導媒體是原則的操作下，這些台灣媒體和個人代表所謂的「新聞界」與「學術界」，高談新聞理念與操作，道德之沉淪，無以復加。

從他們身上，我們可以嗅出台灣新聞界已死的一點腐化味，惡氣撲鼻。

政客，拙劣的演員　✎ 2019 年 12 月 17 日

　　不分藍綠橘白，台灣的政客都有兩副面貌，一個是前台的假面具，另一個是後台的真面目。兩者交互替換，有時來不及卸妝或補妝，加上情境錯亂，假作真時真亦假，他們就迷失在真實世界裏，忘了我是誰，不知今夕何夕。

　　基本上，政客都是兩面人或投機分子，而非台北市長柯文哲（1959-）所自認的務實主義者。他們見人說人話，見鬼說鬼話，在不同時空，對不同對象，說他們想聽的話（這不是民主，而是民粹）。即使張冠李戴，或錯把杭州當汴州，面對千夫所指，他們也要強姦民意，硬拗到底，反正人嘴兩片皮。

　　這種政客牝牡不分，從中央到地方，俯拾皆是，例如中國國民黨立委陳宜民（1956-）、陳玉珍（1973-）和黃昭順（1953-）等。他們是一群「禮義廉」政客，以假亂真，在前台上，利用附加的身分（沒人生下來就是立法委員），演出一場拙劣的政治鬧劇，不但劇本荒腔走板，移位過場，更是慘不忍睹，還歹戲拖棚。

　　撿到籃子裏便是菜（對藍綠來說，「卡神」楊蕙如（1978-）與民主進步黨的關係，顯然可以熱炒或冷盤），這是台灣所有政客的共同操作，而且樂此不疲。至於他們能否洗手作羹湯，甚至是否懂得治大國若烹小鮮的道理，例如高雄市長韓國瑜（1957-）炒菜煮麵，好像在營造如此氛圍，則另當別論。一旦讓他們拿到槍，又亂槍掃射，後果簡直不堪設想。

　　其實，台灣的政客幾乎都怕熱，尤其是面對超出他們能力的難題（如處理高雄市政或海峽兩岸關係），簡直像熱鍋上的螞蟻，拿不定主意。他們可能一輩子沒進過廚房（韓國瑜倒是露了兩手），或上傳統街市買菜（豪宅附近應該找不到），不知菜價高低或人間疾苦。他們在乎

的，往往是如何在公開場合占有高地，唱作俱佳，讓人見識他們的翩翩身段與威風容顏。

只要旁邊有些人，眾目睽睽，任何公共空間就是前台，一個可以即興演出或粉墨登台的場地，特別是在政治領域。台灣政客在前台上的舉止，多少可以用美國社會學家 Erving Goffman（1922-1982）在 *The Presentation of Self in Everyday Life*（1956）中的論點來解釋，他們的行徑不會是臨時起意，而是形象塑造的算計，只是臨場演出，亂了陣勢，被人看破手腳。

以國民黨立委陳宜民為例，簡單說，政客所想打造的形象不外兩種。第一，傳達「我在這裏」的宣稱：本席到此一遊，玉樹臨風。本席所在之地（可以是任何公開或不公開的地方），莫非管區，臥榻之側，豈容他人酣睡。一個保六的小女警，竟然在太歲頭上動土，的確是可忍，孰不可忍。

第二，操縱「依我之尊看我」的意義：本席君臨，汝當見我希冀被仰望的派頭（我是國會議員耶）。陳宜民是國民黨立委，頭銜在，權勢如影隨行，整個立法院與國民黨便是後盾，你奈我何。一個便衣警察，不過是「路人甲」或「怪阿姨」，妄想平起平坐，未免蚍蜉撼大樹。天道淪喪，莫此為甚。

在 2020 年總統選舉，國民黨候選人韓國瑜（1957-）以民意和天意加持，投入大選，無疑也是基於「天將降大任於斯人」的一種封建思想，非我莫屬（韓流望風披靡，沛然莫之能禦）。從目前的民調趨勢看，民意可能已棄他而去，天道更遠，天意遂不著邊際，一副假象。

人不可貌相，政客同樣不能以貌取人。不管是陳宜民或陳玉珍的本色如何，政客好壞，不在顏值，而在扮相，賞心悅目或面目可猙，由不得己。他們的扮相跟在舞台上的一席之地成正比，尤其是自以為是的要角，而非天生麗質。只要擁有一席之地，政客也就可在權力階梯上，論資排輩（如國民黨的宮廷倫理）。

在任何組織或機構裏，職位與責任有大有小，等級之分在所難免。

立法委員也有大咖小咖之分，從立法院到其它空間，「本席」的份量有時不易拿捏，主要還取決於權力的大小，也就是官大學問大，架子更大，擺出氣勢，最好叫人望之凜然，威武不可欺。

陳宜民在公開場合對保警頤指氣使，依仗的是「你應該知道我是國會議員」的傲慢假定，你有眼無珠，竟然敢頂撞國會要員，莫怪我動口動手。換句話說，像陳宜民這類的政客，看似維護神聖職權，假面之下，不過是威權／霸道作祟。私底下，他們對周遭的升斗小民會如何狐假虎威，假傳聖旨，也就不難想像。

因為職位權力有等級差異，1969 年加拿大學者 Laurence J. Peter（1919-1990）提出的彼得原理，多少可以檢驗台灣政客的能力與表現。大意是，組織／機構中的人會因某種才能（真實或虛擬的），遲早爬升到一個他們無法勝任的層級（level of incompetence）。也就是說，這些人的最終高位很可能集無能之大成，亦即德不配位，甚至小人當道。

就政治職位而言，韓國瑜是如此一個典型。他被台北市長柯文哲提拔，出任台北農產運銷公司總經理，接著由國民黨提名，一舉翻轉高雄綠地，成為市長。才不到一年時間，市長位子還沒坐熱，韓國瑜卻已贏得無能草包的名號，相當程度上應驗了彼得原理，也難怪他在總統大選的民調趨勢中，一無是處。

每個成功的男人背後都有一個偉大的女人，政客更不例外。韓國瑜得天獨厚，家裏有兩個：妻子李佳芬（1963-）和女兒韓冰（1996-）。前者伶牙俐齒，可以在國內外場合，為他聲淚俱下，圖的不過是她夫君成為國君的卑微奢望；後者身心多變，可以在眾人之前，讓他當作話題，自彈自唱，大言不慚，為的只是她的家父成為國之元首的雄圖野心。

韓國瑜的搭檔張善政（1954-）看樣子，恐怕也是半斤八兩，不遑多讓。作為副手，他努力扮演主帥的左右手，透過話語為韓國瑜塗脂抹粉，或打造議題。不幸的是，心有餘力不足，他說起話來，徒然突顯見識和能力的貧瘠，不僅未能盡善後之責，還礙手礙腳，有時更是落井下石。潑出去的水，怎麼收得回來？

　　張善政面似温文儒雅，內心其實充滿封建和父權念頭。他說，總統蔡英文（1956-）沒生過小孩，不知道天下父母心，原因不外是，她欠缺如此經驗與知識。這種幾乎是唯我論（solipsism）的想法，表面上很有道理，卻似是而非。依照他的邏輯，他沒當過副總統，又如何得知他能夠勝任副總統職位的要求？

　　張善政好歹是一個理工博士，多少應該理解知識論的基本道理。知識，除了自己親身經驗得來，別人獲得的經驗知識應也可參考，不然所有的書籍與期刊全可束之高閣，包括張善政家裏的任何書刊。當然，他如果不看書，就無關痛癢。引起眾怒後，他以「理工男」不善言辭為下台階，越描越黑，連最後的假面都被撕去，原形畢露。

　　國事如麻，如果凡事都要蔡英文總統自身體驗，她將一事無成，更何況總統還有一群閣員和顧問可以諮商。張善政只要不恥下問，任何能做理性思考的人，應該都可以指出他想法上的邏輯盲點，和要不得的歧視心態。這是「子非魚，安知魚之樂」的辯證，很難有定論，舌戰起來，勢必沒完沒了。

　　至於那些跑龍套與投機的政客，如國民黨政客邱毅（1956-）、吳斯懷（1952-）和葉毓蘭（1958-）等，他們的真假面目和演技如何，自己心裏有數，人民的眼睛也夠雪亮。只要名字出現在海報上，他們看起來是前台當紅的演員，在觀眾眼中，恐怕不過是近朱者赤，有如掉落在後台一個紅色大醬缸裏，整個人被浸染過，樣子無比滑稽與荒謬。

國民黨不是老化，而是食古不化　　✍2020 年 1 月 23 日

中國國民黨在 2020 年台灣總統選舉中，以懸殊總統票數與立法院席位，雙雙敗給民主進步黨。事與願違，國民黨內部出現一個甚囂塵上的改革呼聲：舞台上黨國大老看起來面目可憎，演起戲，荒腔走板，又歹戲拖棚，他們最好洗盡鉛華，不再拋頭露臉，讓年輕世代粉墨登場，一展身段。

說穿了，國民黨已經老化，後浪推前浪，大老不妨急流勇退，避免沒頂。不然，一旦海嘯來襲（2020 大選相去不遠），摧枯拉朽，連帶陪葬的，難免是來不及站穩腳步的大小跟班，包括目前磨刀霍霍的青壯年黨員。

支持國民黨的學者、記者和專家也不乏如此論調，說得擲地有聲，全把矛頭指向黨國大老，特別是經常出現在台面上的大咖。這些人大都垂垂老矣，卻在國民黨論資排輩的宮廷文化裏，占據前台（演出）或後台（導演）的要位，往往透過話語或行動，指揮若定，如不甘寂寞的前總統馬英九（1950-）。

總統大選輸得難看，國民黨候選人高雄市長韓國瑜（1957-）自然必須概括承受任何後果。敗兵之將首當其衝，追究起來，恐怕罄竹難書。大水沖倒龍王廟，如果韓國瑜到現在還不知所以然，遲早被罷免，徒留一個政治鬧劇，貽笑千古。反正，民粹敵不過民主，韓粉再多，大風過處，各自飄。

吃燒餅，很難不掉芝麻，更何況一場慘烈的選舉交戰。國民黨一夕之間潰不成軍，主席吳敦義成為眾矢之的，被迫下台，不過是兩軍對陣的附帶損害。吳敦義（1948-）剛愎自用，無視黨內外千夫所指，雖然不至於如韓國瑜所說的粉身碎骨，留下歷史罵名，終究是晚節不保，咎由自取。

在台灣政治歷史中，政壇上的人物，尤其是有頭有臉的，從地方到中央，由政黨到政府，都多少占有一席之地，也擁有發言的機會，即使只是三言兩語。他們說過或做過的事，斑斑可考，難以耍賴。前事不忘，後事之師，國民黨大老在選舉期間的言行舉止，備受質疑，畢竟是冤有頭債有主。

國民黨總統選舉失利，要歸罪黨政要角的概念與操作不難，例如馬英九的「九二共識」被中國國家主席習近平（1953-）綁架，要檢討政治結構的弊病大概不易。一個百年老店的缺失不會只是硬體（根基腐化），或當家的人兩鬢飛霜（廉頗老矣），更有軟體上的窒礙難行（價值與組織跟時代脫節）。

其實，國民黨面對的難題不在老化，而是食古不化。兩者都跟時間有關，前者是日薄西山，邁向一個終結；後者是思維僵硬，停格在過去。

老化，對個人來說，就是年紀大了，行事顢頇。以老化責問 60 歲以上的國民黨大老，或其他政黨的要員，位居要津所為何事，咄咄逼人，與其說是年齡歧視，不如說是一種避重就輕的鴕鳥心態。

理由很簡單，國民黨台面上的大老不多，讓人如雷貫耳的，頂多是31 位大老。他們於 2019 年 9 月 12 日在三大報聯名刊登廣告，以道德訴求，力勸鴻海創辦人郭台銘（1950-）與韓國瑜合作。這些大老的年紀加起來應在 2000 歲上下，哪一個不曾年輕過，走過「青青子衿，悠悠我心」的年代？

從還活躍在舞台上的連戰（1936-）、馬英九與吳敦義，到已經時不我予的吳伯雄（1939-）、邱創煥（1925-）、高育仁（1934-）、許水德（1931-）和胡自強（1948-）等，除了「外省」第二代，他們全是黨國有意栽培的接班團隊，包括當年的宋楚瑜（1942-），「本省」籍的無一不是蔣經國（1910-1988）刻意提拔的「吹台青」，用意在注入年輕世代的想法，企圖打造國民黨的本土化。

不管是年輕或本土，或兩者兼具，國民黨的後起之秀並未改變黨國

根深柢固的思維和積習，更談不上要帶領國家走向獨立自主的道路。幾十年下來，他們改變不了國民黨的氣質，反而深陷在柏楊（1920-2008）說的大醬缸裏，把自己染得一身威權印記，又思維僵化。媳婦熬成婆，如法炮製，國民黨的宮廷結構與封建文化遂代代相傳，惡性循環。

造成國民黨今天困局的原因，不是老化，而是抱殘守缺的後果。英國哲學家懷海德（Alfred North Whitehead, 1861-1947）1916 年說過的一句話稍做修改，或許可以作為國民黨的寫照：躊躇於過去者不知所措。（A science which hesitates to forget its founders is lost.）

國民黨以革命黨起家，推翻大清帝國，曾經統治中國 38 年，自認是國家正統，它的法統於 1949 年被中國共產黨攔腰斬斷。國民黨被迫退據台灣，成為一個不折不扣的移植政黨，以黨國不分的高壓架勢，主宰台灣社會幾乎 50 年，幾個世代的台灣人都在「中華民國萬歲」的口號下生長。韓國瑜高亢的大叫三聲「中華民國萬歲」，聽起來相當刺耳，不知今夕何夕。

橘越淮變枳，不外是水土不服。被共產黨趕出中國後，國民黨無奈的跨過黑水溝，歷盡多年的「黨外」抗爭，卻從不反躬自省，甚至思考如何脫胎換骨，從而在台灣的土地上落地生根（「吹台青」的象徵意義大於實質），反而堅持改變台灣的主體性與 2300 萬人當家做主的信念，本末倒置。

過去幾十年，國民黨念茲在茲的，除了神州大地外，何曾把彈丸台灣掛在心上，更別提要捧在手中，只差沒把台灣拱手獻給中國。國共兩黨之間所謂的「九二共識」頂多是變相的土地交易，國民黨遙奉中國為正朔，並以台灣做抵押，換取共產黨默許的政經利益，短暫維持台海內外的和平假象，相安無事。

在整個過程中，2300 萬台灣人的自由民主，比起 14 億中國人的民族口水，不過是滄海一粟，無關痛癢。

這期間，即使台灣改朝換代，一個根本難題是，年輕世代為什麼會加入國民黨，舉止有時狂熱到極點（如鋼鐵韓粉四處出征），又在所不

惜，有如飛蛾撲火？

在 1987 年解除戒嚴前，國民黨一黨獨大，從各級學校（尤其是高中和大學）到公家機關，再到軍隊，黨無所不在，如影隨行。年輕人入黨（國民黨不免是贅詞），往往是唸大學或當兵時，很多人大概身不由己，隨波逐流，否則一旦被貼上「黨外」的標籤，永世難以翻身。

在解除戒嚴後，年輕人為什麼還願意投入或支持國民黨？不論主動或被動，這種現象支撐了國民黨的基本盤。一方面，他們的父母親是忠貞的黨員，唯黨是從，沒有其它替代選擇；另一方面，他們也許不是黨員，但是受到國民黨的庇蔭（如軍公教人員與眷屬），吃國民黨的奶水長大，由於認證偏差，他們無法跳脫既得利益的誘惑。畢竟，樹倒猢猻散，對他們沒有什麼好處。

就算國民黨去除「中國」兩字，而且滿黨盡是青年童子軍，如果他們切割不掉與中國相連的臍帶，忘不掉北京天朝所在，國民黨被趕出台灣，不過是時間而已，只是去此一步，即無死所。

吳斯懷一將功成的悲劇　✐2020 年 3 月 31 日

退役陸軍中將吳斯懷（1952-）在當選中國國民黨不分區立法委員後，在立法院內外的表現，果然不出許多人意料。在台灣，他是吃裏扒外；在中國，他應是大義凜然。從台北到北京，一個將軍各自表述，吳斯懷的確是奇貨可居。對他自己來說，吾道不孤，更是政治剩餘價值的極大利用。

吳斯懷並非特例，多少追隨一些退將的變異，守不住個人晚節，還好沒帶刀公然投靠。前國防部總政治作戰部主任、退役上將許歷農（1919-）2017 年 9 月 2 日公開宣布不再反共，並支持中國統一。許歷農的軍階高出吳斯懷一級，他的話語或許只是一種信仰的宣稱，吳斯懷的言行舉止卻是一種實際的操作。

由許歷農到吳斯懷，再加上中間的某些大小軍官，他們對海峽兩岸的政治主張和手段程度不同，目的始終如一：除了被中國統一，台灣沒有其它選擇，即使是兵臨城下。也就是說，台灣無權自主決定人民生活方式的取捨，只能聽憑中國發落，毫無討價還價的餘地。弦外之音是，14 億中國人的民族大義遠勝於 2300 萬台灣人的生命安危。

就戎馬生涯來看，官拜將軍總是人生巔峰，一將功成，在承平時代，不必是萬骨枯，但帶兵無數，歷練不可謂不廣，見識不可謂不寬，站在金字塔頂端，傲視群倫，自是不可一世。從吳斯懷到許歷農，或其他類聚的將軍，如果說他們還有人格缺憾，應是德國社會學家韋伯（1864-1920）強調的信仰倫理與責任倫理的缺失，[9] 兩者大抵蕩然無存。

簡單說，信仰倫理與責任倫理是規範個人在家庭、群體、社會與國

---

[9]　見 Michael Joseph Smith (1986). *Realist thought from Weber to Kissinger*. Baton Rouge: Louisiana State University Press.

家不同單位中，一套行為處事的信念、原則和擔當（最起碼規矩是當一天和尚撞一天鐘），不假外求。就吳斯懷們而言，信仰倫理應是對部屬、同儕和長官之間，以及對社會與國家該有的進退之道（食君之祿，擔君之憂），責任倫理則著重職責的拿捏（不能飛象過河）和忠誠的堅持（效忠於台灣人民與三軍統帥）。

不幸的是，在信仰倫理上，吳斯懷們似乎弄不懂，頂著中華民國將軍的頭銜到底所為何事，在責任倫理方面，更分不清國軍與共軍的差別。前國防大學校長、退役上將夏瀛洲（1939-）於 2011 年所說的「國軍共軍都是中國軍」簡直荒唐。

2016 年 11 月 11 日，吳斯懷與其他 31 位台灣退休將領，端坐在人民大會堂裏，聆聽中國共產黨總書記習近平（1953-）的演說。即使是「紀念孫中山先生誕辰 150 週年」大會，他們似乎忘了，被奉為上賓，在台下一仰中國國家主席的風采，並非出自個人因素，而是他們的台灣屬性（不管他們是否認同自己是台灣人）。

在台灣，吳斯懷將軍們的生涯早已結束；在中國，因為他們的軍事知識與帶兵經驗，吳斯懷們的另一趟軍旅可能才剛起步，特別是從台北入京城朝貢的一堆退將。台灣將軍星光熠熠，與中國人民解放軍的將領相互輝映，在北京眼中，不可能是國對國，而是黨對黨。

吳斯懷們顯然不能理解，中國的軍隊固然號稱是人民解放軍，卻不效忠於人民，反而直接聽令於中共中央軍委的指揮。中華人民共和國解放軍是徹頭徹尾的黨軍，跟中華民國國軍（不是國民黨軍隊），很難等同看待。當吳斯懷將軍們與解放軍將領們在北京稱兄道弟時，杯觥交錯之際，他們不免把國軍當成黨軍，降格以求。

吳斯懷以當年中國抗日戰爭時的八百壯士為名號，投入 2017 年的反年改運動，在在顯示立足台灣，心向中國。也難怪，儘管中國人民解放軍的軍機經常繞過台灣四周空域，他會於 2020 年 3 月 11 日在立法院以書面質詢指出，「沒有顯著挑釁，國防部不要誤導」。他沒有說出口的恐怕是，中國軍機繞台，不過是領空內的日常飛航。

中國軍機到台灣周邊海域一遊，算不算侵門踏戶，並非吳斯懷個人主觀意識可以定奪，還有客觀界線與戒線（海峽中線和台灣領空），更實際的是象徵性的威脅。吳將軍舞劍，啼聲小試，他的話語與心態卻是十分挑釁，對象其實不只是國防部，更是國民黨、民進黨政府與台灣人民。

國民黨種豆得豆，吳斯懷不按牌理出牌，動輒得咎，無疑是前黨主席吳敦義（1948-）留下的燙手山芋，現任黨主席江啟臣（1972-）就算想去之而後快，面對吳斯懷背後人多勢眾的黃復興黨部，打狗也得看主人，多少會投鼠忌器。吳斯懷之亂，何嘗不是吳敦義解甲歸田後的無言反撲。

就民進黨政府而言，尤其是三軍統帥蔡英文（1956-）總統，吳斯懷隔著大海，與中國人民解放軍相互呼應（武嚇文攻），儼然是中共派駐立法院的非正式代理人，透過各種官方資料的取得（如軍事情資），一方面質疑蔡英文的兩岸關係政策與走向，另一方面確定網路上流傳的台灣軍事力量與部署的可靠性。吳斯懷廁身國會殿堂，不免是執政黨的芒刺在背。

對台灣人民來說，吳斯懷從退役將領搖身一變為國會議員，雖然不是直接民選，畢竟也是國民黨普選票累計出來的一席。由頤養天年到粉墨登場，吳斯懷自然是自由民主體制無意的後果（認同中國集權卻代表台灣民意）。如果他是一盆溫水，每一個台灣人便都是青蛙，測試自由民主可以容忍異端的底線。

一些支持吳斯懷的人，尤其是國民黨要員、學者與專家，認為他的所做所為都不失國會議員的職責，無可厚非，他只是需要學習當立法委員的門竅。這種論調縱使不是替吳斯懷開脫，也是十足阿Q。吳將軍需要學習的不是怎麼當一個立委，而是如何做一個自由人。自由人作踐／賤自己無妨，包括向集權屈膝，自掘墳墓，但沒有道理糟蹋其他人，連帶的要全體台灣人陪葬。

從台北到北京，一旦一將功成萬骨枯，將會是台灣的悲劇。

朝野盡是豬腦袋：都是萊豬惹的禍　　*2020 年 9 月 2 日*

　　台灣終於在 2021 年要進口含有萊克多巴胺（瘦肉精）的美國豬肉了，不過是豬，卻大搖大擺，非同小可。豬事不順，都是豬腦袋惹的禍，台灣朝野因此反目相向，只差沒有大動干戈。

　　塵埃落定，這件事的真正意涵，不在美國豬精明，或是台灣豬太笨，而是豬頭豬腦的人，包括支持兩黨的一些學者與專家，無所遁行。

　　從前總統馬英九（1950-）到現任總統蔡英文（1956-），有頭有臉，望之不似豬腦袋。圍繞在他／她們身邊的大小嘍囉，辦起美豬事宜，倒像是一群豬八戒，照照鏡子，裏外不是人。他／她們裝模做樣，處處以人民為重，豬肉次之，滷肉飯則是另外一回事。

　　不管喜不喜歡，經過幾次政權輪替後，台灣的民主政治已然是兩黨制，相互掣肘。從中央到地方，中國國民黨或民主進步黨各領風騷，沒有誰可以既霸權又霸道，而不被選民教訓一番。前市長韓國瑜（1957-）在高雄大起大落，對國民黨或民進黨都是當頭一棒。兩年內，市長藍綠易位，頂多是三隻小豬的把戲，拿高雄市民開心。

　　兩黨政治的意義在於，執政黨與反對黨就國計民生大事，在進退之間，尋求可以各讓一步的妥協方案，而非鬥得你死我活，毫無回身的餘地。

　　豬，扶不上樹，一直是美豬跟台豬糾纏不清的難堪現實。從過去到如今，瘦肉精在朝野攻防過程中，突顯的其實是兩黨腦袋僵化，見豬搖身而過，嚇到不知所措。以人民的飲食口味分析，都是一鍋煮爛的肉，近看卻不似滷肉，遠聞騷味撲鼻。

　　即使面對的是一群豬，執政黨也應有責任倫理的擔當，特別是總統，一旦政策決定了，就不該豬豬相護，說什麼今豬並非當年豬，何妨學學美國總統杜魯門（1884-1972）所說的，「凡事到我為止」（The buck stops here.），面對質疑，不推諉責任。豬有豬格，人格尤不可欺，更何況一國之君？

面對相同的一群豬，在野黨也該有信仰倫理，尤其是黨主席，美豬叩關既然如兵臨城下，便不妨站在人民的立場，堅持與執政黨協商，取得一個折衷的可行途徑，而不是且戰且走，讓對方予取予求。豬有頭臉，黨的顏面不可戲，更何況是百年政黨。

不幸的是，在美豬進口上，國民黨與民進黨互換執政黨或反對黨的角色後，各種言行竟往往以今日之我，否定昨日之我，又面不改色。民進黨當年抵制美國瘦肉精的話語，無疑是國民黨目前反對的翻版；國民黨當年企圖開放的立場，也無疑是民進黨現在放手的立足點。

兩黨豈只是難兄難弟，簡直是你唱罷，我登場，為一盤白切肉，唬弄台灣人民。豬隻無奈，人民更何辜？

冤有頭，債有主。一個政府或政黨好壞，總統與黨主席都得概括承擔執政黨和反對黨引起的社會效應，放縱下屬大放厥詞，不過是讓豬隊友無理取鬧，甚至像神豬一般，中看不中用。無論支持或反對美國豬，從馬英九或蔡英文以降，兩黨政客的表現都是豬頭豬腦袋，一種集體思維下的泥豬瓦狗。

所謂集體思維，簡單說，就是政府或政黨內部容不下反對意見的聲音，放到權力巔峰，便是執政黨總統聽不進在野黨主席的殷殷相勸，或後者對前者的聲明充耳不聞。推到極致，順得哥情，失嫂意，倒霉的是台灣人民，每隔一陣子總得忍受兩黨以人民福祉為名，扮豬吃老虎，任政黨宰割。

只要符合國際規定，含有瘦肉精的美豬並非不可進口到台灣，進口，也不等於要吃進口。吃不吃豬肉，最後決定權畢竟在個人身上，政府終究無法強迫台灣人民是否應吃豬肉，或該吃什麼豬肉。整個敗筆，不在豬，更不在人民身上，而在政府與政黨以此一時彼一時，強詞奪理，玩弄人民的智慧與情感。

時空的確會變，人都會隨歲月長大。政黨也不應食古不化，變，總

得說出個讓人信服的道理，至少由人民權益或國家的長治久安起步，而非從執政黨或反對黨的立場出發。國、民兩黨總以為在政治倫理上，不管正反，自己都代表人民，比對方的黨派色彩超然，獨站道德高地，目空一切。

在瘦肉精美豬的取捨之間，民進黨昨非今是（有案可查，難以蒙混），展現相當惡劣的民粹操作；國民黨昨是今非（歷歷在目，耍賴不得），透露十足粗糙的民粹手段。民粹，多少罪惡以汝之名，為害台灣人民。結果是，豬狗不如，弄得豬不肥，肥到狗身上。

如果國、民兩黨都真正為了台灣人民的利益著想，在瘦肉精爭議上，彼此又如何可能前後以子之矛，攻子之盾，除非美豬背後有英語所說的鹹豬肉桶（pork-barrel），可以政治分肥？

如果國、民兩黨都真正為了台灣的國際地位思考，它們又怎麼可能聞豬色變，為進口少量的美豬而自相殘殺，難道美豬背後有一個不可述說的政經算計？不管如何，誰從中得益，美國豬或台灣豬？

馬英九與蔡英文都不曾殺過豬，但多少應該看過豬走路，知道豬頭豬腦袋的政策執行起來會有什麼後果。美國豬再如何無毒，不免有美國政府在背後撐腰，向台灣政府施壓。台灣豬再如何好吃，難免被台灣政府棄養，不敵美豬大軍壓境。一旦美豬流串市場，兩豬相鬥，必有一傷，台灣豬在價格方面恐怕要一路節節敗退，豬農遲早要付出相當代價。

對執政黨與在野黨來說，台灣人民並非豬朋狗友。從頭到尾，整個美豬事件像菜市場的豬肉攤，兩黨都把台灣人民擺上砧板，像斬豬肉一樣，一刀切割。國家機器殺人，跟殺豬不眨眼，最是讓人心驚肉跳。

蘇貞昌輕辱台灣 ✐2020 年 9 月 30 日

民主進步黨立法委員蘇震清（1965-）因為收賄被拘押，他以英文不好，要求保釋。蘇震清豈止英文很差，腦筋更笨，笨到邏輯分不清落跑無關英文。誰都知道，他要是棄保，可以跑到一個說中文的地方，例如對岸的中國，也不用像前高雄市長韓國瑜（1957-）說一句 "Yes, I Do."。

其實，從總統蔡英文（1956-）以降的大小官員，特別是行政院長蘇貞昌（1947-）與外交部長吳釗燮（1954-），民進黨上下的英文不見得比蘇震清高明，幾個單字就弄得人仰馬翻，甚至作繭自縛，難免動彈不得。至於台北市長柯文哲說話時，動不動就夾雜一、兩個英文字，則另當別論。

更等而下之的是，他／她們除了分辨不出中英文的翻譯差異，還蓄意唬弄台灣人民的英文水準，看不出 "Kaohsiung, Chinese Taipei" 有多荒誕不經。市長陳其邁（1964-）還沾沾自喜，只差沒握緊右手拳頭說「我中華台北高雄，我驕傲」，英文再差，也不該差到不知好歹。

全球氣候與能源市長聯盟是個城市網絡的國際組織，以參加城市為會員單位，2020 年 9 月 26 日它在官網上把台灣的六都（台北市、新北市、桃園市、台中市、台南市及高雄市）以城市先國家後的形式，列為 "Taipei, China" 等，公然剝奪台灣的自主權與壓縮國際地位。軟土深掘，這種欺壓舉動簡直是可忍，孰不可忍。

不分政治光譜，六都市長與外交部聯手抗議，市長聯盟 2020 年 9 月 27 日將六都的國家改為 "Taipei, Chinese Taipei" 等，這幾個「中華台北」市長欣然接受，一副國格不可辱的架勢。蘇貞昌更是為成功正名「中華台北」顯得大義凜然，強調台灣不可輕侮。朝野上下交相賊，這種欺瞞無疑是睜眼說瞎話，把人民當傻瓜。

在英文裏，"Taipei, China" 的用語自然是把台北當作「中國」的一

個都市。在抽象階梯上，[10]中國是個比台北還大的單位。在中國的概念與操作下，台北跟其它城市（例如廣州市）沒有什麼兩樣，低於省級，都是次級單位，隸屬中國這個國家，受北京管轄。也就是說，在台北位階之上，除了 China，沒有 Taiwan，後者與前者並非平行的國家單位，而是上下從屬。

事實是，台北不受中華人民共和國統治，北京更管不到台灣。蘇貞昌與吳釗燮，再加上柯文哲（1959-）市長，如果要為台北背後的國家正名，一個合理的英文寫法應該是 "Taipei, Taiwan"。不幸的是，他們都認為掛上 Chinese Taipei 的招牌，便是驗明正身了，沒有什麼可以苛求。妾身未明，不妨留待來日。

稍為懂得英文的人都知道，在英文裏，Chinese Taipei 除了是「中國的」台北外，沒有其它解釋或翻譯，更不可能會產生「中華台北」的中文聯想。China 是名詞（中國），Chinese 可以是名詞或形容詞（中國人或中國的），後者由前者衍生，兩者都指涉「中國」的字源。「中華台北」根本不等於 Chinese Taipei，只是台灣政客的阿 Q 心態使然，到處宣稱，恐怕要丟人現眼，自取其辱。

對外國人來說，作為一個名詞或地方，Chinese Taipei 就是「中國的」台北，不折不扣，在所有英文的國際文件中，沒有任何可能含糊其詞的餘地。台灣再如何自我合理化，以「中華台北」自瀆，都難以擺脫附屬中國的印記。Taipei 如果被 Chinese 框限，花落誰家，便非 China 莫屬。

英文的台北就是台北，硬是加上一個「中國的」形容詞，用來代表國家的稱謂，怎麼說都不倫不類，缺少正當性與合法性，更別提意識形態的霸權宰制。過去幾十年，所謂的「中華台北」這四個中文字，頂多是台灣朝野政客不敢面對現實的遮羞布，更用來蓋在人民頭上，盲人騎瞎馬，又大聲喊「衝衝衝」。

---

[10] 見 Hayakawa, S. I. (1939). *Language in action*. New York: Harcourt, Brace, Company.

　　市長聯盟只不過把六都名號從「中國」城市改為「中國的」城市，一字之差，換湯不換藥。從中央到地方，台灣的政客居然個個如釋重負，他／她們振振有詞，堅持正名抗議移除了「中國」的屬性，因為 Chinese Taipei 這個詞看起來不同於 China，至於 Chinese 到底指的是什麼，顯然不重要，或者無關痛癢。

　　他／她們似乎難以想像，更可能是思維僵化，台灣的英文國名為什麼不能直接叫 Taiwan？退而求其次，至少 Taiwanese Taipei 還保留一點台灣的本土味道。一個不容忽視的現實後果是，Chinese Taipei 每多用在一個國際場合，或多用一次，台北就被多抹上一分「中國的」色彩，台灣的國際空間便相對縮小一點。

　　從各國到國際組織，一旦世界地圖都貼滿 Chinese Taipei 的字樣，台灣喪失的不光是主體性，作為一個客體，勢必無處立錐，淹沒在以中國為導向的英文天地裏，連說個 "No, I Do Not." 的自由都得看人眼色。

　　純粹從字眼看，「中華台北」不是台灣，Chinese Taipei 也非 Taiwan，意義更大異其趣。蘇貞昌的中英文能力大概難以再進一步提升，他說「中華台北」正名成功，其實是對台灣的最大侮辱。照他的宣稱，他便是中華台北的行政院長。

龍應台的無名戰爭 ✐ *2020 年 10 月 13 日*

　　前文化部長、作家龍應台（1952-）2020 年 10 月 3 日在臉書上寫了一段有關戰爭的故事，用字遣詞貼近日常生活，筆鋒常帶感情，結論是「不管你說什麼，我反戰」。一點別人的歷史小故事，鋪陳了她反戰的大情懷，戰爭事出有因，她卻無以名之。

　　「不管你說什麼，我反戰」，三言兩語，撼動不少生活在戰爭威脅下的台灣人。從 1980 年代的《野火集》到 2020 年「我反戰」，龍應台的筆尖依然銳利，直指國家機器對個人生命的摧殘，她的立足點倒是從人民這邊，過渡到中國國民黨權勢那邊。

　　龍應台擁有英美文學博士學位，在德國、美國、台灣與香港當過多年教授，也做過幾年國民黨政府的高官，懂得理論，更知為官之道。「我反戰」，豈止是話語，更是一種抗拒與挑戰。我，反戰，你奈我何？

　　她反戰，別人也未必好戰。很多人當然不甘被龍應台以「不管你說什麼」相嘲，「你」，挑逗所有讀者的神經。從有頭有臉的作家到網路鄉民，對「我反戰」頗不以為然，批判她利用文人的身分，又假借人文的關懷，自以為佔有道德高地，美化了反戰的姿態，既矯情，更無情，虛偽到極點。

　　反對她的話語有些幾近人身攻擊，或字眼粗俗惡劣，其實都莫須有。台灣是個自由、民主與開放的國家，只要法律沒有明文禁止，龍應台跟其他人一樣，包括幾個退將如國民黨籍的陳廷寵（1931-）和吳斯懷（1952-）等，以及不知亡國恨的歌女如歐陽娜娜（2000-）們，盡可替中國大放厥詞，或者公然與台灣人民為敵。

　　「我反戰」，不會只是龍應台，任何有理性的人都會反對戰爭。戰爭畢竟是人與人間的殘忍廝殺，一種萬骨枯的生命對決。有些人的理性出自認證偏差的盲點，導致以言論自由合理化一個不合理的政治安排，

堅持民族大義高於人民當家做主，決意把台灣 2300 萬自由人強制歸併到中國獨裁專制體系下。

夏蟲不足以語冰，中共與 14 億中國人無法了解台灣人何以是自由人，一個基本道理是，中國從來不知自由民主所為何事，更多時候是中共騎在人民頭上，不把人當人。不論對內或對外，戰爭在北京眼裏，無疑是鞏固政權的必要之惡，一種利用解放戰爭打造中共黨國宰制的手段，台灣是中國霸權的最後一塊拼圖。

身在台灣（包括一些中國人），自由人以自由民主的操作，盡做傷害自由民主之事，確是自由民主的弔詭，卻也是自由民主的最起碼條件。陳廷寵、吳斯懷和黃智賢（1964-）等人都屬於這類，他／她們反戰，可能在所不計，敵軍尚未兵臨城下，就棄甲投降，大開城門，以迎「王師」，即使最終喪失個人自由。

龍應台反戰，也許千夫所指，卻沒有誰可以質疑她不是自由人，或不是人。

反戰本身沒有對錯，沒有任何人是其他人的道德導師。龍應台被批判，不是因為反戰，而在於「不管你說什麼，我反戰」，「你」到底以誰為目標，從而突顯「我」的不滿與抗拒。簡單說，她反對誰的戰爭，大小戰爭都反，尤其不放過真實或潛在的侵略者，反戰的道德意涵就擲地有聲。

如果龍應台反對的是不分形式與內容的戰爭，也不分地域，她的反戰便延續了許多文化學者和知識分子一向反戰的傳統，直逼美國語言學家 Noam Chomsky（杭士基，1928-）的反戰架勢與道德擔當。在越戰期間（1955-75），杭士基以美國人的立場，抨擊美國政府必須為戰爭行動負責；隨後他對美國軍事擴張的侵略政策嚴厲指控，數十年如一日。

從龍應台的著作〔例如《大江大海一九四九》（2009）〕與相關言行看，她反戰，並非泛指抽象的戰爭，而是意有所指，針對海峽兩岸可能發生的戰爭。台海之戰有兩個源頭，一是中國發動，二是台灣造成。前者的機率如箭在弦上，後者則是毫無能耐。另一個機率不大的可能是，

不管有意或無意，中國與美國之間引發先下手為強的戰爭，台灣不過是池魚之殃。

過去幾年，中國軍機和軍艦在海空上對台灣步步進逼，2020 年總統蔡英文（1956-）繼續執政以來，更變本加厲，兩岸關係充滿不確定的緊張因素；再加上台灣內部北京代理人的隔海助陣，只要水到渠成，台海之戰頗有一觸即發的可能，局面更難以收拾，直到烽火過處，哀鴻遍野。

從來沒有一個侵略者可以打著正義的旗幟，替天行道。不論前因後果或時間長短，只要中國主動掀起一場戰爭，跨海以武力統一台灣，整個過程勢必生靈塗炭，應驗前總統馬英九（1950-）說的，「千萬人頭落地」。龍應台無疑會反對如此戰爭，卻含糊其詞，以「我反戰」掩飾了侵略者的存在，並避免指責中國。

不幸的是，中國封鎖臉書，更封殺了龍應台的道德情操。她的話語說得再如何動聽，對人民政府與 14 億中國人來說，簡直不知所云。她的反戰基於道德，卻在信仰倫理（誰是可能侵略者的認定）與責任倫理（誰須為戰爭付出代價）上，雙雙退縮，為德不卒。

以戰爭為前提，龍應台手持一支寫著「反」的鮮明旗子，指揮若定，既擦拭掉窮兵黷武的惡鄰本質，免去它的道德承擔，又巧妙的以轉嫁方式，敵我易位，把飽受威脅的對門住戶，提升到罪有應得的被害角色，誰叫妳不識好歹，不守本分？

在龍應台看來，頂著民族大義，中國攻打台灣師出有名，亂臣賊子，人人得而誅之。她是作家，當然理解文本（text）與情境（context）之間的特殊關係和意義。「我反戰」的戰爭既然無名，一個合理的推斷是，誰造成戰爭，「我」都反對，例如，台灣以中華民國或台灣國的名號，挑釁中國的主權宣稱。

龍應台的反戰論不點名中國，又無法昭告中國人，海峽戰爭唯一的結局是玉石俱焚。她在台灣用中文提出反戰宣言，當然以蔡英文政府（只有國家才有能力挑起戰爭）與台灣人（人民是戰爭中的炮灰）為訴

求對象，背後的呼召恐怕是：台灣人啊，不要不知死活，企圖獨立於中國政治勢力範圍之外，以免激怒北京，惹來殺身之禍，慎思啊，慎思。

　　「我反戰」，其實是龍應台含蓄的表達邏輯。她反戰，不外是如何避免海峽之戰，說穿了，就算中國虎視眈眈，台灣必須盡一切可能不讓戰爭發生；戰爭一旦造成，罪也不在中國，台灣免不了要為前者的侵略行動承擔終極後果。

蒼蠅戴龍眼殼：王美花的格局 *2021 年 3 月 2 日*

　　台語有一句俗話，蒼蠅戴龍眼殼，用來描述政府官員的言行相當傳神，特別是那些不知民間疾苦的大小官員，從中央到地方，俯拾皆是。

　　龍眼殼不大，但是比起「胡蠅」的腦袋要大很多。戴著龍眼殼的蒼蠅看起來「崁頭崁面」（蓋頭蓋臉），樣子豈止滑稽，不僅飛不起來，簡直不知死活。經濟部長王美花（1958-）當然不是蒼蠅，她的一些想法倒是跟蒼蠅戴龍眼殼，幾乎沒什麼差別。

　　過去幾年，台灣缺水的現象已不再是異態，而是常規。2021 年的情況尤其嚴重，影響所及，不僅一般人的日常生活受到斷水的困境，工業用水不足，特別是科學園區或工業區，往往會威脅到各大尖端科技廠的正常運作（例如晶片生產），兩者都不能等閒視之，得過且過。

　　從家庭生活到工商業操作，水都是必需品，一日不可或缺，用水的把握因此不能聽天由命，或頭痛醫頭，政府相關部門必須未雨綢繆，防患於未然。水源是經濟資源的一部分，屬於經濟部管轄的範圍，王美花2021 年 3 月 5 日在立法院接受訪問時表示，科學園區或工業區可以在旱災期間鑿井，以供應需求量。

　　王美花的公開反應一副淡定，也許是不經仔細思考的自動反應（英文所謂的 knee-jerk reaction），無可厚非，可能還用心良苦（鑿井耶，科學園區的工程師怎麼沒想到要就地動土）。不過，她到底要鑿多少井，挖在哪裏，挖多久或多深，更別說後續的供水設施，則是另外一回事。

　　遠水救不了近火，臨渴掘井，也無法一蹴可幾。王美花應該知道這些道理，腦袋卻如此小，話語又特別大，自曝其短，罵聲四起，怪不得他人。

　　從官位和權威看，經濟部長並非阿貓阿狗之輩，好歹是中央大員，為居行政院閣員。王美花自然不是小蒼蠅，但也算不上是大老虎，處處

擺出一副吃人的模樣。只是，一番挖井的說辭，在科學園區與工業區的科技人聽來，難免是風涼話，不濟燃眉之急，更吃人夠夠（鑿井耶，科技人的腦袋怎麼不知變通）。

其實，王美花不是真的想要在科學園區或工業區鑿井，她頂多給自己挖了一口不淺的井，還縱身一躍，噗通一聲，消失在井底，然後大聲叫其他人探頭看看她發現什麼（有一點水耶）。不管鑿井論是否為不得已的下策，王美花的處境與視野都很小，比戴著龍眼殼的蒼蠅大不了多少，大概井底蛙差可比擬。

井底蛙的典故出自中國清朝郭慶藩所輯的《莊子集釋》，意思是見聞淺薄或目光狹窄。在泰國與印尼語中，也有類似說法，不過不是井底蛙，而是一隻常年住在半個椰子殼底下的青蛙。在象徵層面上，椰子殼蛙無異是頂著龍眼殼的蒼蠅，只是後果有別。

根據 Benedict Anderson（1936-2015，《想像的共同體：民族主義的起源與擴散思考》作者）在 2016 年自傳 *A Life Beyond Boundaries* 中轉述，雖然泰國語和印尼語沒有關聯，也屬於不同語系，它們卻有個一隻宿命青蛙的共同想像：青蛙終其一生住在半個椰子殼底下，心胸狹窄，屬於地方性，不常外出，又自我感覺良好。Anderson 認為，青蛙把椰子殼當成整個宇宙，沒有道理躊躇滿志。[11]

我們無法確定王美花是否自我感覺良好，從她在公開場合提出缺水鑿井的輕率主意看，她面對的台灣現實，恐怕跟井底蛙或椰子殼蛙一樣，格局有限。前者的天地不過是井口那麼大，後者的世界只是半個椰子殼圈起的空間，它們無異於罩在龍眼殼底下的蒼蠅，不知今夕何夕。

戴著龍眼殼的蒼蠅也許會亂撞一番，一旦掙脫不了困境，就難免一頭撞死。面對缺水問題，再怎麼火燒眉頭，經濟部長王美花都不應該如無頭蒼蠅，急病亂投醫，不管病人死活。

---

[11] 這部分改寫自作者的《民主、民意與民粹》（頁 ix-x）。

小英的傷害有多大　*2021 年 5 月 20 日*

台灣缺水、缺電與缺疫苗，危機處處，怨聲四起，官民關係緊繃。從總統府以降，到行政院各部會與地方縣市，大小官員卻依舊長袖善舞，笑罵由人，好官我自為之，你奈我何。

總統蔡英文（1956-）2021 年 5 月 17 日就一周內兩次無預警大停電，對人民的回應是，她也「難以接受」，深感「非常抱歉」。儘管難以接受，她還是以道歉收場。傷害不難，抱歉便容易。不幸的是，民進黨政府造成的傷害何其大，小英的道歉又相當廉價，到目前為止，沒有任何官員為三缺政策和操作傷害付出個人代價，反而由全民承擔損失。

根據 1976 年諾貝爾經濟學獎得主、美國經濟學家 Milton Friedman（1912-2006）在 1962 年出版的經典著作《資本主義與自由》，傷害有兩種形式：積極傷害（個人傷害）與消極傷害（社區傷害）。前者是一個人對另一個人的直接暴力，例如到超商不戴口罩，還毆打店員；後者是社區的價值偏好，例如早期的省籍歧視（以說國語判定忠誠，從而影響就業），導致對特定群體的間接傷害。

不管是否民選，政府官員與民意代表所可能帶來的傷害也一樣，只是個人傷害少見（性侵犯應是例外），也未必暴力相向（打個你死我活）。政壇上龍蛇雜處，難免有黑道廁身各級殿堂（這些人自己心裏有數），但還不至於明目張膽，公然動粗（藍綠兩黨在立法院打群架是等而下之的癟三行為）。社區傷害則不時或聞，傷害程度又不均等（即使均等，也難以稀釋傷害的嚴重性），相對剝削的感受尤其沉重，為害之大恐怕難以斗量。

蔡英文總統自然不可能從事積極傷害的行為或行動，她愛貓狗如命，無疑不會傷害別人。從缺水，到缺電，再到缺疫苗，她造成的消極傷害如何，就難說了。

　　總統之上再無太上皇，小英不對一個人負責，而是對全國人民。食國家俸祿，所為何事？官府小事都是民間大事，即使並非小英親自動手，哪一件事不會影響到台灣大大小小的社區與不同群體的安危？她的道歉直接承認她的間接責任，除非被罷免，卻又不用擔負任何政治責任。

　　小英既是 817 萬票選出的總統，自有廣大的民意基礎，或許會覺得可以高枕無憂，支持韓國瑜（1957-）的其他 552 萬選民大概會有不同的看法，礙難認同。

　　衙門深似海，她身居總統府與官邸，不食人間烟火，多少就不知民間疾苦。她的道歉簡直是口舌之便，擲地無聲，毫無實質意義。她如果讀過《資本主義與自由》，應該理解 Friedman 提出的「自我否定」（self-denial）的重要概念與操作，其實也適用於政府施政和相關官員的作為。

　　Friedman 認為，真正的自由包含自我否定，誰提出不受歡迎的主張或行動（例如台灣被中國統一），就必須承擔後果，為自己的言行付出一定代價（例如最終喪失自由民主），否則自由終究會淪為特許與不負責任。

　　當然，對那些只在乎獨裁效率、威權政治與強國夢的統派個人與群體，如台灣政治評論員黃智賢（1964-）與統促黨，即使自由民主被剝奪，恐怕是他們可以忍受的生活不便，否則他們沒有道理以自由人之身為中共的集權體制搖旗吶喊，企圖戕害 2300 萬台灣人當家做主的自主權與獨立性。

　　把 Friedman 的論點延伸到官場，我們不難推斷，政府官員的主張或行動如果要有任何社會價值或示範作用，就必須具有自我否定的可能與意涵。也就是說，官員必須問責，特別是政務官，為他／她們的言行舉止付出一定代價（例如去職或免職，甚至法辦）。不然，大小官員勢必官官相護，或互相推諉，得過且過，大家共襄盛舉，為保留官位沆瀣一氣。

　　不論是缺水、缺電或缺疫苗，在政府官員眼中，也許是形勢比人強（例如天不下雨或中國打壓），非戰之罪。影響所及，對打亂人民日常生活步驟，與威脅生命安全，傷害卻不可謂不大。從行政院長蘇貞昌（1947-）、經濟部長王美花（1958-）到衛福部長陳時中（1953-），以及相關官員，除了以各種口實合理化個人的顢頇無能或欠缺膽識，沒有任何一人引咎辭職，蔡英文總統也不曾公開究責，更別提要「下詔罪己」了。

　　官場是個政治舞台，官員需要粉墨登場，唱作俱佳。面對 2021 年 5 月 17 日的大停電，蘇貞昌在最快時間內道歉，並責令經濟部在一周內提出台電改革的方案。表面上，蘇貞昌擺出的是行政擔當，實際上，頂多是在前台上做個戲，過個場，演給人民看，再看台下反應，見風轉舵。

　　就算不是緩兵之計，依照以往經驗，整件事不免落個雷聲大雨點小，庸人自擾。為日常生活忙碌，人民畢竟是健忘的蒼生。蘇貞昌如果苦民所苦，大可向人民的噓聲低頭，以行政院長的職權免去王美花的官位，另起爐灶，再聘大廚。

　　由於高官很少因問責被免職，當事人也就沒有愧對職守的道德壓力，所謂不計個人去留，或者聲稱辭職才是不負責任的說法，不過是詭辯或托詞（如果政府沒有他／她就停擺，定於一尊，正是問題所在）。王美花不知進退，突顯的豈止是個人操守缺缺，更是民進黨上下交相賊的集體墮落。

　　顯然，他／她們的為官之道並不包含自我否定的信仰倫理，責任倫理是何物，也就無關痛癢了。我不殺伯仁，伯仁因我而死。小英並非惡人，但是她的閣員難說，多少官場之惡，都在她的看管下進行，無聲無息，殺傷力之大，如冰凍三尺，非一日之寒。作為總統，她似乎是天高地遠，與人民的距離，超乎一般人的想像。

　　缺水，缺電，又缺疫苗，台灣現在最不需要的是，再缺一個劍及履及的總統。小英的道歉聽起來似乎只是樓梯響，不見任何官員承擔善後的責任。

　　政府的運作沒有非哪個官員不行的必然邏輯，如是，台灣的定期普選與政權輪替可以休矣。小英既是全民總統，用人處事，一旦被民進黨派系綁架（以官位換取效忠），她對人民權益的有形和無形傷害就大了。

高嘉瑜並非附帶傷害，而是自殘 ✐ *2021 年 6 月 24 日*

民主進步黨立法委員高嘉瑜（1980-）捲進禾馨診所疫苗案醜聞後，她的第一反應是，台北市長柯文哲（1959-）2021 年 6 月 19 日扣的關說帽子有點大，她不過在替民眾陳情。言下之意是，民意代表食民脂民膏，為民消災解難，理所當然；他指她關說，未免太沉重，小女子承擔不起。

一些學者與專家認為，柯文哲被迫收拾好心肝診所特權疫苗留下的燙手山芋，勢必清理門戶，高嘉瑜不過是一個附帶傷害，畢竟城門失火。只是，她燒起的這把火不小，幾乎是自殘。玩火自焚，燒掉的不光是她的清純形象，一般人對她的政治生涯恐怕會另眼看待，她跟老奸巨猾的政客其實沒什麼兩樣，表裏不一。

從台北市議會到立法院，高嘉瑜以小女子的俏皮姿態（如努嘴鼓腮），遊走於民意殿堂之外，特別是在電視媒體上伶牙俐嘴。在月暈效應（halo effect）下，不少人對她的民代身分頗有好感。她的言行也的確顛覆了一些女性民意代表潑婦罵街的形象，例如中國國民黨立委葉毓蘭（1958-）或鄭麗文（1969-）是個典型樣板，多少讓人耳目一新。這大概是高嘉瑜可以更上層樓的主要原因，似乎後市看漲。

看她起高樓，眼見她樓塌了。關說醜聞發展期間，不管公婆如何說，高嘉瑜顯然看不出問題所在。在台灣政治醬缸裏打滾了幾年，近墨者黑，她根本無法出污泥而不染，到頭來只能比誰更髒。從執政黨到在野黨，可以跟她比髒的民意代表倒還不少。排列起來，她或許是個小巫，碰上步步計較的柯文哲，算她倒楣。

從台大醫院外科醫師出身，柯教授術業有專攻，或許也滿腹經綸。當上台北市長後，幾年下來，他搖身一變而為政客，卻一再以科學的SOP 自吹自擂。儘管未必如其他政客心狠手辣，柯文哲倒也老謀深算，

凡事從個人的最大利益和政治算計出發，隨時翻臉不認人，更像變色龍，騎在牆頭觀望風向，伺機而動或出手。

面對禾馨診所帶來的政治危機，柯文哲不是突襲高嘉瑜，而是她的利用價值可能所剩無幾，他至少可以拖民進黨下水，大家一起比爛。看起來，柯文哲給高嘉瑜戴的豈止是一頂帽子，更無情的撕去她一副見人說人話，見鬼說鬼話的面具。假面被戳破後，她越描越黑，終至面目全非，甚至可憎，裏外不是人。

女為悅己者容，高嘉瑜是自由人，大可在眾人面前推出自己最好的面貌，展現姿色或賣弄一點風騷。這些都不是立法委員的「應然」或「實然」表徵，即使女性立委亦然。格調低，無關性別或年齡，而在於作為民意代表，高嘉瑜不知信仰倫理與責任倫理的最起碼規範。兩者都要求她知所進退，有所為（界線），亦有所不為（戒線）。

根據憲法，立委在立法院內的發言對外不負責任，言論免責是公領域的合理界線，主要在保障民意代表知無不言，言無不盡。離開了民意殿堂的界線，一旦進入商業與政治交接的場域（如修正公司法的「SOGO 條款」），或涉及官民之間利益衝突的界面，立法委員的舉止受到相關戒線的限制（不能收受賄賂），過此一線，例如如民進黨蘇震清（1965-）與國民黨廖國棟（1955-）等涉嫌集體收賄，即使沒有法律瑕疵，也有倫理缺失。

既然是民選的代表，高嘉瑜大可在立法院為所有選民向台北市政府或中央流行疫情指揮中心，公開要求提供疫苗給所有的特定對象（如孕婦）。政策或操作一視同仁，是倫理道德的基本原則。反過來說，並非一般人、團體或公司行號都有機會或門道可以向高嘉瑜提出「選民服務」的要求，她也未必有求必應。

事實是，不論是否有私交或深交，高嘉瑜私下替一家特定商業公司（禾馨診所），為特定目的（疫苗），主張特定後果（多少瓶）。從定義到實際執行，如此動作，除了關說外，別無它解，尤其是中央民意代表身分對台北市政府官員（柯文哲恐怕是例外）所可能帶來的壓力，由象徵

到實質，不可謂不大。

如果高嘉瑜不是立法委員，或者不是柯文哲的「死黨」，只是一介女流，她不可能只靠一通電話，在 10 分鐘內就喬好疫苗的私相授受，很可能連門都沒有。在幾次簡訊被公開後，白紙黑字，高嘉瑜再如何為自己辯解，她的話語根本無以推翻步步進逼的架勢，難以洗刷關說的事實。

以事後辭職，企圖證明事前清白，頂多是詭辯，但也說明立法委員的身分隱含某種道德的需求。高嘉瑜的盲點在於，她只看到權力帶來的各種光芒與光圈，陶醉在集萬千寵愛於一身的快感，看不到特權背後所可能產生的社會不公、不義與傷害。她似乎無法理解，躲在燈塔底下的人永遠看不到自己的陰影。

高嘉瑜不是個案，高嘉瑜們存在於各級民意殿堂裏，民進黨立委范雲（1968-）是另外一個失格的案例。

不管是否對疫情指揮中心施壓，當范雲參與 3+11 的討論時，她就棄倫理道德於不顧了，代表的是特殊利益團體（機師），而非全民（她是不分區立委）。當她投票反對立法院公開 3+11 的會議紀錄時，無疑是黨政邏輯運作的必然結果，她代表的不再是「民意」，而是「黨意」。狗不咬主人，立委也一樣，她到底難以咬那隻餵她的手。

事後，范雲大言不慚的說，她希望 3+11 對疫情擴散的影響可以調查清楚。做賊喊抓賊，這種狂妄比起高嘉瑜的妄為，不遑多讓，簡直是一丘之貉。

陳時中是刺蝟，還是狐狸？　*2021 年 7 月 23 日*

中央流行疫情指揮中心指揮官陳時中（1953-）2021 年 7 月 18 日被記者問到疫苗採購價格為什麼還不公佈時，不僅推諉，還動肝火。他說，如此問的人都「居心叵測」。陳時中的反應豈止是自我防衛，簡直是刺蝟，全身毛刺都豎立了起來，一副戰鬥姿態，有種皇后貞操不容置疑的架勢。

陳時中當然不是深宮裏的皇后，他的言行倒是處處顯得京畿大員的架勢，或皇后身旁的寵臣，怠慢不得。

其實，在新冠肺炎於 2020 年初肆虐台灣後，有些學者和專家覺得，陳時中以衛生福利部部長的職位被任命為指揮官以來，因為獨攬疫情數據、決策與操作的大權，更獨占發言的高地，面對各方批判，總以為是針對他個人知識、經驗和擔當的挑戰，一直表現得像個刺蝟，渾身受不起戳探。

事實是，他的歷練、知識與對現實的看法都跟狐狸一樣，處處顯得有點老奸巨猾，有時甚至企圖一手遮天。在所有批評中，當然不乏一些同行相忌或門戶之見的酸葡萄反應，例如外科出身的柯 P 對牙醫背景的陳時中就很不以為然，以刺蝟姿態，戳戳狐狸。

刺蝟跟狐狸是兩種截然不同的動物，在希臘故事中所代表的涵義有別。古希臘詩人 Archilochus 的完整寓言早已失傳，只剩下一句對比的話：狐狸知道很多事情，但是刺蝟知道一件大事（A fox knows many things, but a hedgehog knows one big thing.）。幾千年來，沒人知道如何正確解讀寓言，或原始道理。

英國哲學家與歷史學家 Isaiah Berlin（1909-1997）依據這句話大做文章，把作家和思想家分為兩類：刺蝟與狐狸，前者透過單一概念看世界，後者以多樣經驗面對世界。應用到一般人，刺蝟與狐狸的故事應讓

所有人深思，特別是陳時中和其他政府官員，包括台北市長柯文哲（作為智商 157 的醫生，他常自誇洞燭機先，見凡人所未見）。

如果有空，陳時中不妨讀讀 Berlin 於 1953 年出版的《刺蝟與狐狸》（*The Hedgehog and the Fox: An Essay on Tolstoy's View of History*）的著作，對他在防疫期間的所做所為，以及目前所處的困境（信用和權威日漸遞減），說不定會有相當啓發，也許還有些實質幫助。至少，他不用如刺蝟，稍一碰觸，便毛刺以對。書很薄，本文不過 90 頁，認真閱讀，大概一天就可看完。

依 Berlin 的論點，狐狸知道很多事情，也接受牠只能知道許多事情的侷限，至於對現實的統一掌握（所有事情的整合），則力有未逮。也就是說，狐狸能夠認命於自己知識的限制，並過得自在或心安理得。他認為，大部分的人都有狐狸的特性，以有限的知識，面對日常生活現實，水來土掩。問陳時中疫苗採購價格的記者，不過是狐狸一隻，不知為不知。

刺蝟就不同了。Berlin 的看法是，刺蝟不接受自己像狐狸一樣知道很多事情，也拒絕面對現實，只想知道一件大事：能夠統一或解釋一切現實的單一真理。在人類社會中，只有極少數人像刺蝟，非要究天人之際，通古今之變，把萬物萬事的解釋定於一尊。刺蝟的日子因此過得十分緊張，即使知之為知之，也還不夠，非得當個先知不可。

在刺蝟的思考架構下，馬克思（Karl Marx, 1818-1883）是所有刺蝟之母，無人能及。在教條主義者看來，馬克思至死不渝，堅定主張，誰控制生產力／工具，就決定一切，[12] 他的悲劇在於否定自己的知識界限。

由 2019 年到 2021 年，陳時中對疫情的理解、掌控與應對，從 2021 年 4 月 15 日實施 3+11 後，雖然不至於會以災難收場，卻頗有悲劇的傾向（700 多條生命的無謂喪失，怎麼看都是悲劇）。其中的最大毛病是，他對疫情的相關問題，都可以用一個較大或較抽象的想法打發掉（我說

---

[12] 見陳光興（1992）。《媒體／文化批判的人民民主逃逸路線》。台北：唐山。

的算數），不在乎現實如何，或是否還有其它解釋。

以 2021 年 7 月 19 日高端新冠疫苗緊急使用授權來看，「緊急」兩字的定義與通過程序，在美國食品藥物管理局（FDA）的疫苗規範中，有相當嚴謹的操作解釋和規則。簡單說，疫苗在申請緊急使用授權前，必須經過第一與第二期的實驗，證明安全無處，再進行大規模的第三期臨床試驗，並提出期中報告的有效保護力證據。

美國 FDA 所以同意授權輝瑞（Pfizer）、莫德納（Moderna）與嬌生（Johnson & Johnson）疫苗緊急使用的情境是：1. 疫情嚴重，當時世界上沒有任何新冠疫苗可用；2. 三支疫苗都已在幾萬人中進行了第三期試驗；3. 期中報告結果證實利大於弊。這是美國疫情期間疫苗緊急使用的現實前提，跟目前的台灣現實完全不同。

台灣自然有疫苗緊急使用授權的條件，但是「緊急」程度顯然無關現實：1. 世界上早有幾支疫苗可以使用，而且效力不差；2. 高端疫苗只進行到第二期，即使相關數據看起來不輸 AZ 疫苗，18 比 1 的專家審核仲裁，並非保護力的驗證；3. 高端的第三期臨床試驗即將在巴拉圭進行，期中報告何時能提出，尚在未定之天。

這些應該都不足以構成「緊急」要件，更何況台灣已買到 1500 萬劑 BNT 疫苗，也可以再買，並非疫苗缺缺。作為指揮官與衛福部部長，陳時中大可要求高端在第三期試驗過後的幾個月內（美國 FDA 規定兩個月），提出期中報告的保護力數據，再進行緊急使用授權的決定。

不幸的是，陳時中以刺蝟的單維思路，執意放行，無視眾多狐狸的常識與知識，他到底在急什麼？皇后急了，太監更急？